元韓国空軍大佐が語る

日本は奇跡の国 反日は恥

崔 三然 著

ハート出版

[特別寄稿] 崔三然氏著書刊行に寄せて

伊藤　陽一（慶應義塾大学・国際教養大学名誉教授）

約三十年にわたって、親しくお付き合いさせていただき、二〇二〇年九月に亡くなられた崔三然氏のご著書に寄稿させていただくことを大変光栄に思う。

私の専門は世論やマス・メディアであり、韓国問題の専門家とは言えないのだが、一九八〇年代の全斗煥大統領の頃から四回にわたって「日韓コミュニケーション・ギャップの研究」というプロジェクト（プロジェクトによっては題名が少し違うが趣旨は同じ）に参加する機会を得た。したがって、私は街を武装した兵士が警備している戒厳令下のソウルに滞在したことがあるし、上記四つの共同研究プロジェクトの成果としての業績は少なくない。韓国のジャーナリストや学者に知人・友人も多い。そういう意味で、私は日韓問題の専門家ではないが、門外漢でもない。

韓国人の親友の学者の一人が漢陽大学新聞放送学科教授で、言論文化研究所長、韓国新聞学会会長も歴任した故彭元順氏である。彼は日本語で出版した『韓国のマス・メディア』(一九九一年)の著者としても知られている。その彭教授から、当時私が勤務していた慶應義塾大学の大学院に推薦したいとして女子学生を紹介されたが、それが崔三然氏の次女の鶴山さんである。それが今から約三十年前のことであるから、冒頭に述べたように「三十年に及ぶお付き合い」ということになる。

この間、崔三然氏とは韓国でも日本でも何度もお会いしたし、彼が書いた記事を何本も読んだし、彼の講演会にも行った。したがって、彼の世界観、人生観、政治的意見等についてはよくわかっているつもりである。その内容はこの本に書かれている通りである。

崔三然氏の考え方を私がよく理解しているのは、彼との付き合いの長さのためだけではない。上記の彭教授も同じような考え方の持主であった。一九六〇年代、七〇年代の知識人は皆そうであった、少なくとも当時の「エリート知識人」の多数派はそうであったと断言できる。

しかし、その後韓国では「歴史認識革命」が起こった。そのきっかけを作ったのは一九七九年から約十年をかけて出版された『解放前後史の認識』(全六巻)である。この大作は、国際的に評価の高い歴史学者が書いたものではなく、在野の非エリート系「自称歴史学者」や文芸評論家等によってまとめられたものであり、歴史学の基本である実証性(すなわち事実に基づく歴史)を軽視もしくは無視し、理念(すなわち「こうであってほしかった」という願望)の歴史を記述している。それにも関わらず、その「理念」（事実に基づかない歴史願望）故にマスコミや教育界に浸透し、徐々に「歴史認識革命」を進行させた。

この「革命」は、しかし、急激に起こったものではなく、一九九四年に成立した金泳三政権頃から徐々に進み、左派の金大中政権を経て、二〇〇三年に成立した盧武鉉政権の時にその姿をはっきり現した。盧武鉉大統領は就任早々訪米すると、韓国にとっての仮想敵国は日本であるとして、アメリカに同調を求めたという。アメリカ側はあきれて一顧だにしなかったのだが、この言動に韓国における「歴史認識革命」の一端が現れている。すなわち、南北朝鮮は共に連合軍側に立って日本と戦って勝利し、東京裁判においては中国と並んで検事や裁判官を派遣して日本の戦時指導者たちを罰し、サンフランシスコ講和会議に参加して戦勝国として日本に領土割譲を迫りたかったのである（事実、李承晩大統領はアメリカに対馬の割譲を申し入れたが、断られている）。

もちろん、これはあまりに事実からかけ離れているので、左派韓国人の中でもここまで考えている人は少ないと思われるが、これは、現在の文在寅政権でも時折顔をのぞかせる彼らの「こうであってほしかった歴史」の典型例である。だからこそ、現在の韓国では朝鮮の解放・独立にほとんど何の貢献もしなかった人たちを「民族の英雄」として顕彰する一方で、韓国の近代化や経済発展に明らかな貢献をしたかつての指導者たちを「売国奴」と断罪したりしているのである。

しかし、このような事実に基づかない歴史観は、短期的には成功するかもしれないが、長期的には破綻する。なぜなら、「本物の歴史家」が事実を積み重ねていくにつれて、積み重ねるものがない頭の中だけの「理念」は、やがて空虚な言葉の繰り返しとなって色あせてゆくからである。とりあえずは、優れた経済史学者である李榮薫ソウル大学教授の一連の著作、特に『大韓民国の物語：韓国の〈国史〉教科書を書き換えよ』（二〇〇九年）と日本の歴史学者松本厚治埼玉大学教授の『韓国〈反日主義〉の起源』（二〇一九年）をぜひ読んでほしい。

公平を期すために（?）、日本も戦前には似たような失敗をしたことがあるということを指摘しておきたい。一九三七年の「盧溝橋事件」以後の中国大陸における日本軍の行動は、斎藤隆夫のような国会議員や多くの日本の知識人たちにとって理解や正当化ができないものであった。そのための政府や軍部に対する不信感は一九四〇年頃にはピークに達していたが、これに対する政府、軍部、右翼思想家たちは様々な検証不能で、空疎な抽象的理念や用語――たとえば「国体明徴」、「八紘一宇」、「シロス（しろしめす）」等々――によって応じた。これに対して、（斎藤議員のように）「なんのことかさっぱりわからない」などと批判すると、「不敬」などの罪を着せて弾圧した。完全な言論の自由の下で、これら空疎な理念や用語が議会や新聞で徹底的に議論することが許されていたならば、中国との戦争はもっと早く終わっていたに違いない。

本書の大きな部分を占めるのは自叙伝である。私は慶應義塾大学で二十年近く「社会調査法」という授業を担当していたので、私は「社会調査法」の専門家でもあると言える。社会調査法とは社会的事象について客観的・科学的データを提供するための技法のことである。客観的とはデータ提供者の個人的バイアスがかかっていないということだが、自叙伝にこれを要求することは無理である。

次に「科学的」であることの一つの基準は「検証や反証が可能」ということである。自叙伝はもともと主観的なものであり、客観的ではありえない。しかし、「科学的」という観点からすると、自叙伝には「検証や反証が可能である」という強みがあるのである。売名や金銭目的ででたらめな自叙伝を書けば、家族や、友人・知人にバレてしまい、場合によっては軽蔑されてしまう。したがって、多少の自慢や誇張があったりするかもしれないが、自叙伝に書かれている事実にウソはないと思っていいのである。

過去においては日本人が韓国人の名前を使って「嫌韓本」を書いたといった例があったようだが、自叙伝ではそのようなことはありえない。社会調査法における主流は質問紙調査やテキストの内容分析だが、自叙伝が提供する情報やデータは少なくとも何かを立証する際の副次的な補強材料として使えるということを付け加えておきたい。

私は訪問研究員としてスコットランドのスターリング大学に三カ月間滞在したことがある。スコットランドは（ウェールズや北アイルランドと同様）昔イングランドに併合されたのである。スコットランド人と打ち解けて話し合うと、彼らが今でもイングランドに対してある程度の「こだわり」を持っていることがわかる。アイルランドの人びとはもっと強いこだわりを持っているに違いない。

スコットランド人の友人に現在の韓国人が日本人に対して持っている強いこだわり（いわゆる「恨」）について説明し、意見を求めてみた。彼は、スコットランド人としてそれはよくわかると言っていたが、昔はともかく、そのようなこだわりは徐々に消えつつあると語った。その理由として彼が第一にあげたのが通婚だが、これは韓国と日本の間でも順調に進んでいる。私はむしろ彼が指摘した、第二の理由に印象付けられた。それは、二つの大戦を一緒に戦ったことが大きい、というのである。つまり、基本的価値観の共有である。先の大戦においては多数の朝鮮人が日本軍と一緒に戦った。洪思翊のように陸軍中将にまで出世した人もいるし。特攻で亡くなった朝鮮人飛行士は二十数名にのぼる（本書第二章にも朝鮮人特攻隊員についての記述がある）。彼らに対する顕彰、恩給、年金等を日本はきちんとしてきただろうか。

朴裕河世宗大学教授は『帝国の慰安婦』の中で、慰安婦の中には日本軍兵士に対して「同志的」連帯感情を持っていた人もいたと書いて名誉棄損罪に問われ、罰金刑になっている。「徴用工問題」にも似たような背景がある。日本はこの辺から少しづつ解きほぐしてゆけば、韓国人の側の「恨」を完全に解くことはできないまでも、せめてスコットランド人とイングランド人の関係程度にはできるのではないだろうか。

本書第四章に『元韓国陸軍大佐の反日への最後通告』と題する節がある。この「陸軍大佐」とは崔氏の盟友である池萬元博士のことで、ハート出版から出版されたこの『最後通告』の著者である。当然両氏の考え方、立場はよく似ている。この『最後通告』という本の末尾に「解説」を書いた佐伯浩明元産経新聞編集委員によると「池氏を批判する勢力は同氏を〈歴史歪曲者〉と決めつけている」（310頁）そうである。ということは、韓国では崔氏も池氏と同様「歴史歪曲者」と批判される可能性があるということであろう。

しかし、冒頭に述べたように、一九八〇年頃までの韓国では崔氏や池氏のような考えを持った人は多数派だったのである。冒頭で述べた私が尊敬する故彭教授もそうであった。もし崔氏と彭教授が天国で会う機会があったなら、「〈歴史の歪曲者〉はどっちだ」と笑い、「しかし、これは韓国にとっても日本にとっても深刻な問題だ」と頭を抱えるのではないだろうか。

はじめに

過ぎし二十世紀は戦争の世紀であり、激動の世紀でもあった。しかしながら今の極東アジアの情勢は一世紀前と比べて、その構図が大局的に見て大きく変わっていないばかりか、朝鮮半島では朝鮮戦争休戦以来七十年近く経った現在も北朝鮮による不安定状態が継続しており、一触即発の危機をも孕(はら)んでいる。

そればかりではない。中国・韓国・北朝鮮が、日本に対する過去の歴史認識問題を、戦後七十年以上過ぎた現在でも引きずり、こだわる現状は遺憾と言わざるを得ない。これは解消すべき焦眉の課題である。

日本の統治時代に生を享(う)け、十七歳で終戦を迎えた者として、また、終戦までの二年間を、日本の少年飛行兵として戦った生き証人として、歴史認識の一端を披瀝する機会を得たことは私にとって望外の栄誉である。

現在の朝鮮半島の現状を把握することは、一世紀前の朝鮮半島の実態を議論の余地なく再投影できる最善の方法であると私は信ずる。

逆説的表現になるかもしれないが、結論的に言って、朝鮮半島は今、あの時代に比べさらに重篤な混沌状態に陥っている。否、破滅寸前とも言える。国を失った悲劇は教訓として生かされず、李朝末期の混沌を彷彿とさせる各様各色の朝鮮半島の痼疾（こしつ）的病弊は、李朝の亡霊に囚われたかのごとくその呪縛から抜けきれずにいるのだ。

周知のごとく北朝鮮は、人類社会の歴史上かつてなかった特殊な集団として、その奇行悪行ぶりは今や世界の注視の的になっている。

俗に北朝鮮を指して李朝のクローンというが、それだけに止（とど）まらない。朝鮮民族は昔から永遠の防禦民族・平和愛護民族としての評価があったが、今や、北朝鮮は世界唯一の監獄国家になり果て、世襲独裁王国の下で、人民に対する極度の思想統制、海外からの情報遮断、全国土の要塞化をおこなっている。そして六カ所の強制収容所に二十万人もの人民が人間以下の虐待に呻吟（しんぎん）しているのである。その中には、いわゆる朝鮮人の日本人妻もいる。

経済は完全に破綻し、世界の人権最悪国、最貧国であるのに、核などの大量殺傷武器を振りかざして世界を脅し続けている。まさに狂気としか言えない倒錯状態である。

北朝鮮の独裁者に、ひとかけらの恥を知る心、ひとかけらの良心、そして、祖国愛があったなら、北朝鮮がこのような状況にはならなかったはずだ。私は、ここに李朝のクローンを見出すと共に、はかり知れない羞恥心に苛まれる。

朝鮮半島でよく使う諺に「賊反荷杖（チョクバンハジャン）」（逆に泥棒の方が鞭を振るう、盗人猛々しいという意）

があるが、北朝鮮の国家戦略の核心は半島の赤化統一である。

金日成の時代には、イデオロギーでの南北統一であったが、崩壊に直面している現在では、生き延びんがための船の乗り換え、即ち南半分の強奪である。常識では考えられないメンタリティであるが、これは事実であり、それがまたことごとく成功を収めているのだ。

北朝鮮の赤化統一戦略が、成功裡に進行中である理由は一つしかない。韓国がこれまた混沌状態であるからである。終戦後から続く、政治的不安定から来る社会の混沌状態や度重なる政変、クーデター、そして軍事独裁、民主化運動など、今日までの韓国は一言で言って混沌の渦中にある。

北朝鮮の政略、謀略、テロ、ゲリラ、暴動及び騒擾などのありとあらゆる赤化工作は、韓国の混乱状態を加速させ、民主化運動に便乗した親北左派組織の拡大に成功している。各種の工作により、今では、全教組、政治家、教育界、言論界、官界の要職が左派及び北朝鮮シンパによって掌握されている危険極まりない状況なのである。

こうした赤化統一戦略に決定的な役割を果たしたのが、金大中、盧武鉉という二人の大統領である。彼らは、北と内通して韓国を北に併呑させるべく暗躍した民族の背倫児である。

朝鮮半島は反逆の歴史で彩られている。愛国者が惨殺され、反逆者や売国奴が愛国者と呼ばれる歴史は数多くある。朝鮮半島には、李朝の原形が依然としてそのまま残っているのである。

朴正熙大統領が日本の経済援助を取り付け、世界第十一位の経済大国にのし上がった。しかし今日の韓国の国家としての品格は、北朝鮮に勝るとも劣らないと言える。

これから先、左傾化が進む韓国を救うことが日本の重要な役割である。日本が戦前の朝鮮半島に築いたインフラ及び戦後の経済援助、そして韓国人の持ち前の底力によって著しい経済発展を遂げた韓国が、反日共産国家の呪縛から解放され、真の日本の友邦となるそのときこそ、韓国は本当の解放の日（光復節）を迎えるのである。日本にはその任務を果たす力が備わっている。私は、日本の皆様が日韓の真の和解および友好のために韓国の保守愛国市民と連帯してその力を発揮されることを心から願っている。

日本の統治時代、朝鮮半島に居住していた日本人はもっとも多い時でも七十五万人ほどで、全人口の二・七パーセントに過ぎなかった。あの時代の朝鮮人は時代の変化に積極的に対応しつつ、自ら近代人となるべく啓発に努めていたのである。この点をむやみに過小評価してはならない。総督府の支配体制が極めて効率的に機能し得た陰には、多くのこのような人々の協力があったのだ。

これまで韓国の歴史家は民族の恥ずべき部分としてきちんと語ってこなかったが、日本といわゆる「親日」が韓国の経済・社会の発展に果たした多大な功績について正当に評価できる日が来ることを願っている。そのときこそ、韓国（人）が成熟した国としての誇りを取り戻す日なのである。歴史に於いて民族だけが主体になるわけではない。究極の主体は個々人である。協力が抵抗であり、抵抗が協力でもあり得たこうした逆説的で包括的な内面世界を苦悩しながら生き抜き韓国の発展を牽引した真の愛国者もおり、戦後の韓国の発展を牽引したエリート集団もまさにそうした人々であった。

　私もまた、九十二歳の生涯を通じて正義具現の人生観を貫いてきた。知日、親日の領域を超越して、日韓両国のために韓国に対してあえて辛辣な忠告・苦言を呈することも辞さない直言（ちょくげん）居士（こじ）として誇り高く生きてきた。残り少ない余命での正義具現の道は後進に書き残すしか方法が無い。これが国を愛し、世界を愛する老兵の義務であると信じ、筆を執った次第である。最後に遺したい一言は、日韓の未来のために、日本人は誇りを失うな！　韓国人は誇りを取り戻せ！

崔　三然

目次

四章　日韓に横たわる問題の本質／108

五章　赤化韓国に未来はない／141

一章　日本は「おとぎの国」である

■日本は侵略戦争をしていない

戦後日本は敗戦の窮地から見事に立ち直り、世界の経済大国に発展したばかりでなく、日本独特の文化と国民性は世界の羨望の的となっている。

「日本人は、顔形が違うだけでアングロサクソンに近い」と言ったのは、アメリカの第二十六代大統領セオドア・ルーズベルトだが、彼は日本に好意を持っていたようで、日露戦争の終戦処理において、日本に有利になるよう取り計らったこともある。

戦後の自虐史観からくる国論の分裂、そこからもたらされる国力の劣化、それにつけ込む大陸勢力の日本に対する謀略、覇権的挑発など難問も多い。しかし、私はいずれ日本は立ち直る国だと確信している。その根拠は人間にある。

どの国も、社会も人間が動かしている。北朝鮮の惨状も人間の仕業であるし、韓国の倒錯状態も人間のなすところである。この人間が日本はしっかりしている。そして人間がしっかりしている限り日本は立ち直る、というのが私の信念である。

とはいえ、私の日本再起必至論には前提がある。力には力でしか対応できないのが冷酷極まる国際力学である。特に普遍の価値観が共有できない相手との関係においては、なおさら力なしには何もできない。これが今の日本を取り巻く周辺状況の現実である。

アメリカの第五代大統領ジェイムス・モンローは、一八二三年に有名なモンロー・ドクトリンを宣言した。これは「国家の安全保障は主権が及ぼす国内に限られるものではない」ということだが、一言で言うと「西洋列国は南北アメリカ大陸には手を出すな！」ということである。今中国が北朝鮮を手放さないのも、アメリカが日本と韓国を軍事同盟で守ってくれているのも、台湾を事実上アメリカが守っているのも、その源はこのドクトリンにあると言える。

日本は日清、日露戦争で朝鮮半島と大陸に進出した。しかし、西洋列強の帝国主義と、いわゆる日本の帝国主義とは全く違う。西洋はただただ帝国主義の拡張で富を増やし、植民地を経営する目的で、一時期地球表面積の八十四パーセントを植民地化した。日本の場合は、安全保障が第一義の動機だった。生存のため、自衛のためだった。

一九〇五年のポーツマスにおける日露戦争の講和条約の時、セオドア・ルーズベルト大統領は、日本の小村寿太郎全権大使に「日本もカムチャッカの西からインド洋の端のスエズ運河の河口以東の範囲を、モンロー宣言に準じて何か宣言してはいかがか」と勧めたという話がある。

当時はそういう時代だったのだ。

言いかえれば、当時アメリカとイギリスは、日本を味方に引き入れて東洋に対する利権を確保するために、日本を前面に押し立てたという歴史がある。

かつて、中曽根康弘元首相が「太平洋戦争は自衛の戦争だったが日中戦争は侵略だった」と平然と語ったが、そうではない。アメリカとイギリスが日本を助け日本を前に押し立てて大陸に進出しない限り、日本の力では中国、満洲はおろか、朝鮮半島にも一歩たりとも入れたものではなかった。そういう経緯を経ての満洲経営であり、その行き詰まりにより支那事変、そして大東亜戦争を招いたのである。ここでいう行き詰まりの原因としては、英米が日本の急伸長で自分たちの権益が縮小することを恐れたこと、それに加えて根強い人種差別観念により、東洋人の台頭を嫌ったことである。そのため、英米は日本を牽制し、強力な制動を掛け始めたのである。

結果的に日本は戦争には負けたけれども、今振り返ってみれば、誰が勝者だったのだろうか。私は、アメリカは敗者であるとの認識である。アメリカはそれからも失敗の連続であり、これからもまだ失敗する可能性のある素因をたくさん抱えている。

とにかく、あの時代の日本の努力と犠牲がなければ今の東洋はあり得ない。そうでなければ、今の朝鮮半島も中国も満洲も存在しなかったはずである。おそらく、解放された東南アジアの諸国も、ことごとくが西洋列強の植民地の生活を余儀なくされている状況ではなかったかと思う。

アメリカは当時国際連盟に入っておらず、国際連盟はイギリスが主導していた。イギリスは中国における利権の実に六十パーセントを持っていたけれども、アメリカはなぜリットン報告書に代表されるように、日本の満洲経営にブレーキをかけたのか。

私なりに考察してみたが、そこにはやはり「東洋人にヘゲモニーを握らせてはならない」という白人優位の人種差別意識が連綿として貫かれていたからだと思う。

だから、日本の今を生きる皆様は先達の憂国に対して尊敬顕彰こそすれ、これを単に軍国主義だとして貶めることは慎むべきではないか、と思うものである。

■日韓問題を懸念する

今、反日の槍玉にあげられている項目の中に「いわゆる従軍慰安婦」問題があるが、次ページの写真を見てほしい。これは、昭和十九年七月に出た『京城日報』、および同年十月に出た『毎日新報』の新聞記事である。両紙ともソウルで発行された日本語の新聞である。

京城日報の記事を見ると、「慰安婦緊急大募集、十七歳から二十三歳まで、後方○○地域」「月

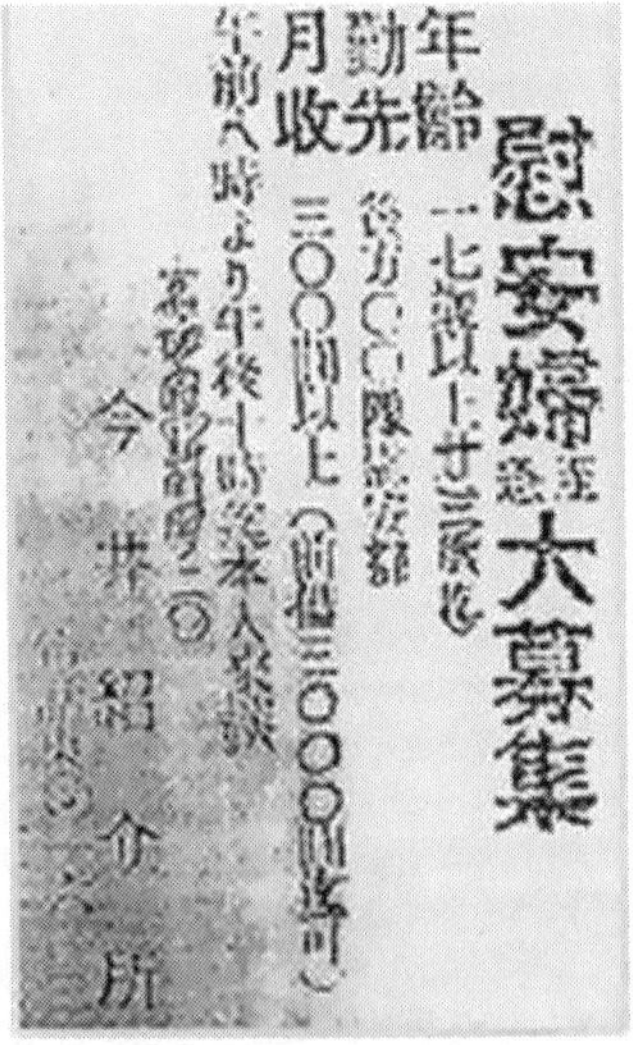

1944年7月26日付京城日報より

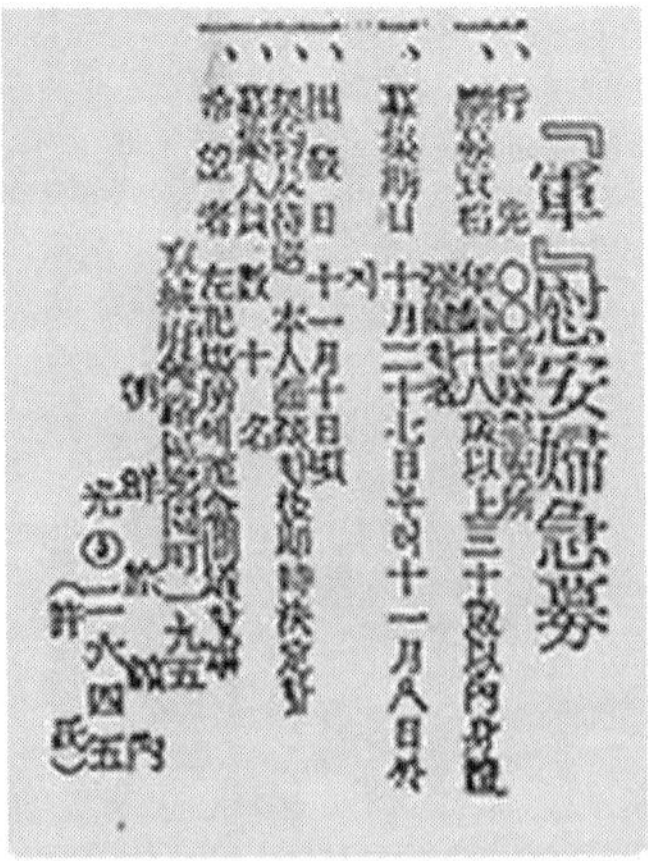

1944年10月27日付毎日新報より

収三百円以上、前借三千円まで可、午前八時より午後十時まで、本人要談」、出した広告社は今井紹介所、日本人が経営している女衒(ぜげん)である。毎日新報にも「『軍』慰安婦急募」としてほぼ同内容が記されている。

当時日本でも朝鮮半島でも女衒という商売があった。このような広告を出して、村々を歩きながら金で貧しい農家の娘たちを買ったり、従軍慰安婦に回したりしていたのである。

ほかにも、南京事件、靖国問題、教科書問題など、日本を悪者にしようとする色々な問題があるけれども、私はことごとくが謀略だと考えている。というのはそれまでは全く問題にされていなかったにもかかわらず、八〇年代になって突然騒ぎ出したからである。まず中国から火が付き、北朝鮮に燃え移り、それが今韓国を乗っ取っている左派が実働部隊となっているのである。もちろん日本国内にいる左派勢力も延焼に多大なる貢献をしている。

日本の対応として私が提言するのは、私たちのような戦争を経験した韓国人と連携して、この歴史戦を戦いぬくことである。現在も細々と行われている韓国の予備役、老兵たちの集いというのは大変重要な意義を持っている。今私たち老兵が生きているからこそ、ここまで持ちこたえている状況である。我々がもし、この間死に物狂いで活動しなければ、韓国はもっとひどい状況に陥っていたのではないか。

日本に来て意外に思ったのは、先の戦争の退役軍人に対して、国からの支援があまり手厚くないことである。韓国では、在郷軍人会や予備役三百五十万人に対して二百六十六億ウォン（日本円で二十二億円）が支払われており、そのうち七十パーセントを政府が負担している。ちなみに韓国には六十五万人の現役軍人、北朝鮮には百十五万人の現役軍人と五百五十万人の退役軍人がいる。日本には現役二十六万人と予備役四万人しかいないのであるから、これは大変なことである。韓国は黙って政府がお金を出してくれたわけではない。我々が闘って勝ち得たものである。

一九六三年に就任した朴正煕大統領は、一九七九年に暗殺されるまでの十八年間権力を握っていたが、日本陸士の先輩に対し敬意を払い、先輩一人一人に手厚いもてなしをしてくれた人だった。

ところが、一九九八年から十年間政権を握った金大中、盧武鉉時代の韓国では、「親日反民族行為真相究明委員会」という大統領直属の国家機関を二〇〇五年に立ち上げて、旧日本軍の将校以上は親日派というレッテルを貼り、弾圧するというとんでもないことをしでかしている。その後、「将校以上」という制限を外し、過去の業績をしらみつぶしに調査して、千六名を親日派だとして名前を公開した（二〇〇九年）。これは、元をただせば北朝鮮の謀略・政略そのままであり、それを韓国を乗っ取っている輩が強行しているのである。現在の文在寅政権は、それを踏襲しているどころか、さらに危険な方向へ国家の舵を切っている。

ここで日本の皆さんに覚えておいてもらいたいのは、韓国がこぞって反日だと思ったら大間違いだということである。

私は韓国軍の経歴を通じて諸先輩方、後輩たちとずっと接してきたが、皆さん、非常に立派な方々であり、愛国者である。そして何より日本に親しみを感じている。古き良き日本の統治時代を知っており、現在の韓国の反日の風潮に人一倍腹を立てているものである。

韓国の政権が我々保守派によって握られたら、日韓問題は解決できる。ただしそれには条件がある。私ども老兵が生きている間に動かないとだめだということである。しかし、それももう残り少なくなってしまったが。

■私が講演活動を続けてきた理由

現在、私は体力の許す範囲で講演などを行っているが、そのきっかけとなったのが二〇〇七年十二月に行われた韓国の大統領選挙だった。

この選挙では、当時保守派と目された李明博大統領が当選したことにより、金大中、盧武鉉の二代に亘る十年間の「親北・反日・反米・大韓民国否定の国家反逆政権」が終焉した。この十年間の左派政権により、それまで自由民主主義国家であった韓国は、金正日一派に併合される寸前まで陥ったのであったが、天佑神助のお陰か自由民主主義陣営に政権が移り変わることとなった。そんな劇的な歴史上の節目ともなったのが、この選挙である。結果的に、李明博政権は残念ながら期待はずれに終わってしまったが。

当時私は、韓国の予備役陸海空軍海兵隊大佐連合会の顧問として、私より十五歳ほど若い後輩達の後押しをしつつ、当時韓国では唯一の非政治愛国団体である国民行動本部の徐貞甲本部長（予備役陸軍大佐）を助けて、精力的な反共国民啓蒙運動を展開した。

金大中、盧武鉉は核戦力増強に奔走している金正日を助け、韓国の事実上の武装解除を企図し続けてきたのであるが、土壇場の危機的状況にまで至った所で、彼ら反逆者の企図を挫くことができた。我々大佐連合会の同志と国民運動本部の国民抵抗的な次元での活動がなかったら、韓国という国は消滅したと言っても過言ではない。

自由民主主義陣営に政権が回復された時点で、私はこう考えた。

「これからの韓国は、十年間で相当なダメージを受けた日韓、日米関係を一日も早く修復することが重要である。特に日本に関しては、歴史問題を含む懸案問題を速やかに解決するべきである」と。

その上で、日本の教育を受け、日本を理解する私のような者こそが、日韓両国のために何かするべきではないかと決心し、日韓両国にまたがっての愛国運動に足を踏みこんだのであった。とはいえ、どこまでも一匹狼、最初は助けを乞う人もなければ、わかってくれる人もいない中、私の日本での活動の始まりは各種の講演会、勉強会への積極的な参加だった。その結果、それを通じて講師、参加者との対話、交流の機会を得ることができ、急速に私の周りには、私に関心を持つ多くの方々、特に日本の将来を憂う愛国者の方々が集まることとなった。人脈と言えば大げさではあるが、こういった人間関係を作ることができたのは、本当に幸運であった。

研究会への案内をしてくれる方、愛国活動家を紹介してくれる方、さらに私自身に大衆への講演の機会を与えてくださる方まで現れた。不偏不党且つ何ら条件を伴わない私の朝鮮半島に関する講演は、日本の皆さんにすごく新鮮な印象を与えたらしく、大きな反響を呼び起こしたことを、私自身大変嬉しく思っている。今後も日韓の真の友好のため、私としてできる限りの活動を益々力強く続けてゆく所存である。

■日本の「路線バス」に驚いた

国民性とか国体というものは、その国の地政学的環境、特に有機的な環境に大きく影響される、というのが定説である。朝鮮半島は、永年虐げられた国民が今まで生き抜いてきた生々しい歴史の足跡の上に立っているのである。

これに比べ日本はどうだろうか。元寇は神風に消え去り、黒船との小競り合いはあったが、それは転禍為福的に明治維新をもたらし、日清・日露の戦役も国力のある限り戦って勝利を収めた。大東亜戦争に至り、国力の差で敗戦という未曾有の屈辱は味わったが、国土が蹂躙されることはなく、戦後間もなく日本は世界第二の経済大国として再建されたのである。日本という国は、「おとぎの国」である。これは、私が肌で感じた実感である。

私と妻は、二〇〇七年に東京で大学の講師を務めている二人の娘に呼び寄せられて、仁川の家を空家にして、東京に住みつくことにした。と言っても永住資格ではなく、最初の三～四年間は三カ月期限の観光ビザでの滞在だった。そのため、年に四回の往復を余儀なくされたが、その間は敢えてこの生活パターンを貫いて来た。

日本の皆さんに日本に来て何が一番うらやましいかと聞かれたら、私はまず〝バス〟であると答える。日本のバスは、定刻にきちっと到着して、乗りやすいようにバスのステップを密着させてくれる。車体は驚くほどきれいに手入れされており、いつ見ても内外がピカピカである。エンジンの音も快調、ディーゼルエンジンにしては驚く程の静かさであり、整備が最高の状態に維持されていることがわかる。車内の設計、座席配置等においても安楽度、利便性、安全性が極度に考慮され、どことなく人間工学が緻密に作用している感じがする。

更に驚くのはノンステップバス（低床バス）の場合、高級乗用車以上のクッションを採用しているのだろうか、乗客がステップに足を乗せると、車体全体が横にゆるやかにゆれる感じで、振動等の不快感がほとんどない。

もちろん運転手の安全運転と乗客に対する親切な態度はこれまた抜群、非の打ち所がない。ときどき車椅子の障碍（しょうがい）者がバスに乗り降りする場面を目にする。その時の運転手の動作に、私は非常に感銘を受けた。

彼らが乗り降りする際、運転手がいち早く駆けつけて、非常に丁寧に車椅子を運ぶ。その動作の速さ、親切さ、丁寧さ、それに加えて、意欲。ただ自分の役割を果たすところで止まるのではなく、日本の皆様はそれに加えてもう一つ、あえてそれを進んで自分で全うしようとする意欲を持っている。これは大したものだと思う。

次に指摘したいのは乗客のマナーである。日本に来て以来、バスばかりでなく電車でも地下鉄でも、乗客の整然たる一等市民ぶりには降参するしかない。

時々私の乗るバスに乳母車が三台も乗ることがある。乳母車に母親が乳児を乗せてバスに乗ること自体も大変だろうが、私が注目するのはそれを可能にする日本の社会インフラの先進性と国民の水準の高さである。世界で、日本以外のどこに公共交通機関で乳母車が安全に利用できる国があるだろうか？　この事実だけでも私は、日本は桃源郷、つまりシャングリラだと思う。

社会インフラの水準とはハードウェアのインフラ面でのことであって、そのインフラが正常に機能するには人間のインフラが伴っていなければできない。人間インフラとは何か？　それは言うまでもなく、教育、社会の道徳、倫理、そして遵法精神に代表される民度、国民の水準である。この人間インフラこそ、日本が他の追従を許さない強みだと私は強調したいのである。

この日本の独特な人間インフラとしての卓越性は、何処から来るのか？　それはやはり歴史であり、伝統であり、文化であり、日本の有機的地政学的環境の賜物ではないだろうか？　日本の皆様はこれを誇りにし、そして大切に継承して行くことに努力すべきだと思うのである。

驚きはまだ続く。

老弱者優先席の数の多さと、高齢者や若い母親と幼児の高い利用度である。前者は老弱者の天国であること、後者は女性の活発な活動を可能にしていることを示している。私は日本の社会インフラの話を何度もしてきたが、バスは日本が誇る重要な社会インフラの一つなのである。

もう一つ、交通に関して私が驚いたのは、日本での自転車の利用度の高さである。ベトナムのような途上国では、自動車が日本ほど普及していないので、街を埋め尽くす自転車の洪水を見るが、日本は世界有数の自動車最多保有国でありながら、自転車であふれている。二〇一八年の統計によれば日本全国の自転車保有台数は約七千万台に上るということであるが、ほぼ同数の自動車保有国でありながら、この自転車の数は驚きである。

これは何を意味するかと言えば、大都市では公共交通機関の高度の発達、即ち交通インフラの充実で、車は必要な時だけ使用しているということである。この現象がもたらす効果というのは計り知れないほど大きい。

例えば交通渋滞解消による交通の円滑化、公害問題の解消、石油資源の節約、運転による疲労の軽減などである。東京に来て一度も渋滞らしい渋滞に出くわしたことがないので聞いてみたところ、東京での自家用車の九十五パーセントは毎日のように動いていないことがわかり、もう一度驚いたのである。

ソウルではあべこべに九十五パーセントがフルに動いており、交通地獄そのものである。この現象も不法駐車というものがまかり通ることのできない、日本の遵法精神があればこその現象だと思っている。

ある日、大通りを歩いていると、自転車が横を通り過ぎた。見つめると驚いたことに、四人が乗っていた。お母さんが漕いでいる自転車の前の籠にお嬢ちゃん、後ろの籠にお坊ちゃん、そしてお母さんのお腹に赤ちゃんを抱えて計四人。

問題は、なぜ私が驚いたか。その四人が乗った自転車が大通りを走れるその日本の安全なインフラ、それを維持し、守る国民の高い意識の水準、これはもう日本でしかあり得ない。これは奇跡的な現象だと私は褒め称えたい。

先日、お世話になっている方が旅先の沖縄から送ってくれたパイナップルがうちに届いた。見て驚いたのは、発送が前日の午前十一時だったことである。沖縄から東京までの荷物をたった一日で届けることが可能な国が、他に世界のどこにあるだろうか。

驚きは未だ尽きない。日本に来て丸三年、未だに交通違反らしい違反を目撃していない。一体どういうことなのだろうか？　車を運転して街で用を済ませ、家に帰り着くまでの全過程が遵法精神で貫かれている。日本人は一等市民としての矜持であふれており、爽快である。このような感覚は日本でしか味わえないのではなかろうか？

■日本人の気質を象徴する鉄道網

同じく交通の話だが、バスの話から鉄道に話題を移したい。

私は、北は北海道から南は鹿児島の知覧、枕崎まで、日本海沿岸はもとより、太平洋沿岸の各地方をくまなく何回も旅行している。もちろん内陸地方もであるが、ここでも驚きは尽きない。

日本の鉄道は、全国市町村の大部分を網羅する鉄道網の緻密さだけでなく、車両の管理、線路の保全、運行の効率、駅舎の利便性、安全快適な各種のインフラサービスなど、どこをとっても断然世界一である。そしてその運行、安全度において、また利便性においても他の追従を許さないものがある。

アメリカでの鉄道は、大陸だけあって悠然としていて、大陸横断鉄道などは、数時間の延着は普通だという。ＬＡとサンディエゴ間百五十キロメートル余の区間にも乗ってみたが、発着時間はそう正確ではなかった気がする。

ところが日本の鉄道の発着時刻は、何処へ行っても分単位はおろか秒単位の正確さである。日本の新幹線の技術は、戦時中海軍の零戦を開発した技術陣により、世界に先駆けて弾丸列車を実現したのであるが、操業以来五十余年の今まで、無事故運行を達成している。そしてその技術は広く世界に広がりつつある。

現在は東京から北は函館までが新幹線で結ばれているが、かつては東京から盛岡までは新幹線、盛岡から青森までは東北本線で移動していた。北海道に渡る際、津軽海峡線への乗り換えが一分の余裕しかないのに驚き、車掌に「大丈夫ですか？」と聞いたところ、笑いながら、「同じホームの反対側なので大丈夫ですよ」との答えであった。

私は、それよりももし一分遅れて予定の列車に乗り遅れた場合、札幌での旅程が狂ってしまうことを恐れていたのだが、列車は正確に定時に青森に到着したのである。

あらゆる部門がそうであるが、鉄道一つとってみても完璧な運行を保障するには、技術力、工業力、そして管理能力、職人気質など諸々の要素が統合する一つの作品であることが必要であり、決して単純なものではないのである。

日本全土を網の目のように張り巡らされている鉄道網が二十四時間、一糸不乱、全国の隅々まで安全に、そして快適に走り続けている影には日本が誇るインフラのハードウェアばかりでなく、ソフトウェア面でのインフラの卓越性があると私は信じている。それは即ち、人間のインフラであり、日本人の優れた国民性がもたらす結晶に他ならない。

■河川敷を眺めてみると

私の娘たちの住まいは荒川の東京都区部側の土堤に建てられたマンションである。手前の河川敷は当初はゴルフ場だったが、現在は生態公園として一般に公開され、毎日、自然観察や散策を楽しむ人々の姿が絶えない。この絵のようなのどかな風景をうっとり眺めながらも、私の日本に対する観察は尽きない。

河川敷一面の土堤斜面は、都や区の丁寧な除草作業のお陰で、洋画の一場面を連想させるほど美しく、土堤の上の遊歩道には、ジョギングを楽しむ人々や、犬を連れた多くの愛犬家たちの群れ、芝生でピクニックをする家族やカップルの姿が見える。そして土堤の下の河川敷には、東京湾河口まで走る立派な広い道路が延びており、かっこうのサイクリングロードとして活用されている。人々のマナーの良さが、錦上に花を添え、このひとこまの光景はまさに「おとぎの国」と呼ぶにふさわしい。

ある統計によれば、日本における犬と猫の飼育頭数は約千八百五十万頭だという。食料の四十パーセント近くを外国に依存している日本にしては、重すぎる負担を抱えながら、日本人はペットと共に生きているのである。ペット愛好市民の資質として、まず必要なのは心の余裕だが、それに加え、日本人には生き物を愛でる、慈しむ、交感する、豊かな、そして繊細な情緒が備わっているように思う。

数年前、アメリカ旅行の途中にハワイに立ち寄った折、ペット専用の公園墓地を見て驚いたことがあったが、最近東京では乳母車に老いたペットを大事に乗せて散策する老人の姿を多く見かけるようになった。「幸福な人達だなぁ」と軽い感動を覚える。

日本を観察していて気づいたのだが、日本には埃が少ない。日本に来てから、あまり洗車せずとも車がきれいに保たれているのには、これまた驚いた。雨が降ればそれが洗車になり、雪が降ってもそれが洗車になる。

東京のどの道を走っても未舗装路やどぶがなかったし、屋内駐車場に停めてある車は、どれもきれいである。驚くほど日本は清浄な空域なのである。

朝鮮半島は中国の黄塵万丈の黄砂の影響で、ひどい時には前方の視野が遮られる程である。車用の〝ほこりはたき〟があるが、日本では家庭用の〝ほこりはたき〟しか売ってないのにはまた驚いている。いつか東京の水道水の水源地の一つである奥多摩湖を訪れたのだが、この水をそのまま飲んでもいいのではないかと思う程、湖の管理は完璧であった。山紫水明とはこのことを言うのではなかろうか?

■日本の潜在能力

日本はＧＤＰで世界第三位である。九〇年代までは二位だったが、いわゆる「失われた三十年」の間に中国に抜かれてしまった。

しかし現在のトップツーであるアメリカ、中国と日本では大きな違いがある。両国とも国土が広く、人口が多く、資源も豊富だ。アメリカは中東に石油を依存しなくても、自国産でまかなえるほどになった。

日本はどうか。世界第三位とはいえ、自前の資源は何もない。あえてあるといえば魚ぐらい。

では日本には何があるのかと言えば、人間力であろうと思う。国土は狭いし、人口は一億二千万しかおらず、資源はない。これで世界の三番ということは、人間力が世界一であることに間違いないのではないか。

ちなみに、東京都だけのＧＤＰを世界各国と比較すると、なんと十六位にランクインするのである。世界の都市圏だけで比較するなら、東京は断然世界一位であろう。そういった理由で、あらゆる面で人間がかもしだすエネルギーや努力、成果、いわば、クレイディビリティ、生産力は、日本が断トツ一位であると私は思う。

■日本もアメリカも「マニュアル社会」？

娘二人に、「日本人や日本の学生について教えてほしい」と尋ねてみると、二人とも、「日本はマニュアル社会だが原則重視で公平」と口をそろえた。

マニュアルは悪い意味ではなく、「物事が標準化されており、法規や世の中の倫理観、道徳観に従って生きていく社会」、つまり「そのコンプライアンス（法令遵守）が行き渡って確立している社会」「自己中心論理ではなく、社会共通の論理がある」という意味である。

そういえば軍所属時代、初めてアメリカの顧問団と接触して文章のやりとりをするときに驚いたことがあった。文章がほとんどなく、文面の大部分が「ＡＦＲ１―６」とか「ＡＦＲ10―25」とか、ずーっとＡＦＲ、ＡＦＲばっかり。

これは一体何かというと、「ＡＦＲ」というのは「AIR FORCE REGULATION」、つまりアメリカ空軍規則のこと。その当時からアメリカの社会もいい意味で「マニュアル化」していたのである。

アメリカと日本。先進国というのは、案外こういうものなのだろうと思った次第である。

■日本を「一等国」たらしめているもの

日本の優秀性は当然のごとく世界が認めるところであるが、そこには日本の食文化も含まれている。鮮魚、野菜、果物、肉類の流通販売の過程での先進性には驚いている。しかし、賞味期限が切れて破棄される膨大な各種食料品を、今飢えている北朝鮮や世界の食料に困っている国々の人々に食べさせる方法はないものか、とも思う。貧しい国では少しの賞味期限超過は黙認しているのが現状ではなかろうか？

韓国の場合、聞く所によれば孤児院等の施設に流している所もあるというが、食料の海外依存度の特に高い国だろうに、日本では遵法の意識が極めて高い。

しかし、ここでも日本では合理性を失っていない所が面白い。賞味期限当日の品物は半額もしくは相応の割引がされており、破棄を少なくするよう購入を促している。庶民にはそれなりの救済になる。

それとは別に、果物の鮮度と糖度の高いのにも驚く。日本では農家があらゆる作物に最新技術を用い、改良に改良を重ねて品質の向上に最善を尽くしているようである。

このように、日本はあらゆる面で「一等国」と呼べるものがあるが、では何が日本をそうたらしめているのか、私なりに考察してみたい。

まず指摘したいのは、日本の地政学的な環境である。日本は東洋に属しているが、ユーラシア大陸の最東端、それも海を隔てて太平洋に長く列島をなしている。地層は活火山帯をなしており、南北東西にまたがる国土は面積こそ広大ではないが、春夏秋冬が存在し、且つ太平洋の暖流に恵まれている。このような環境の中で、日本は世界のどの国、民族とも異なる、独特な伝統と文化を形成したと見ている。

人類普遍の価値観が叫ばれている現今の世界であるが、地球上の人類社会の倫理・価値観の頽廃度は凄まじく、弱肉強食の覇権が乱舞する今の世界で、唯一日本だけが伝統的価値観と文化を温存し続けている国であり、民族ではなかろうかと思うものである。

日本人の自然と神を崇う心、慎しみ深さ、ものの哀れみ、畏敬の心、恥を知る心、いさぎ良さ、清潔意識、潔白な品性、実直性、淡白な品性、仁義、勤勉性、遵法精神、純真、繊細な情緒、匠の精神、こだわりの精神等の人類普遍の価値観に代表される人間としての秀でた徳目を、日本人はどの民族よりも多く持っていると私は信じている。

このような精神文明の開花は、一朝一夕に成し遂げられるものでは絶対あり得ない。悠久の歴史と伝統があってこそ築くことのできる、民族としての偉業なのである。

■「匠の国」「こだわりの国」日本

私の挙げた日本人の人類史上最高の普遍の価値観は何をもって証明し得るかについて、これから私の認識を披瀝したい。

まず言えるのは、歴史と共に継承し続けている種々の伝統文化であり、その伝統文化と共存する超先進的現代社会の発展である。これに関しては具体的な説明を必要としない。日本においての神を崇う習慣、様々な美風良俗の継承、伝統祭祀の伝承等がそれである。

次に、法治国家としての品格、社会全般におけるしきたりの重厚さ、華麗さ、荘厳さ等他の追従を許さない。水戸黄門のような破邪顕正の社会正義と道徳を高揚する物語が何十年も国民に親しまれている国が、世界の何処にあると言えようか?

世界の人気を席巻したかつての米国の西部劇は、いわばアメリカ原住民への殺戮劇であり、文明の名の下で行われた侵略に他ならない。そこには倫理観も正義感も見られないのである。近年、韓流ブームに見られる、日本人の新しい刺激に対する欲望に向けての文化面でのゆらぎもあるけれど、これからも日本での水戸黄門、そして忠臣蔵は永遠に民族の魂の拠りどころとして、その光を放ち続けるであろう。

ここで強調したいのは、日本が匠の国、こだわりの国だということである。

日本の人々は世界でも稀な独特な長所を持っている。「匠の精神」である。例えば日本には、饅頭一つをとっても六百年以上の伝統を誇る老舗が現存している。そういう「匠の精神」に基づく伝統があり、それに関連して「こだわりの精神」がある。東洋でノーベル賞受賞者が二十七人（受賞当時は日本国籍で現在は外国籍三人を含む）にものぼる国は日本の他にない。これは日本人の特性を端的に表しているのではないだろうか。

私は韓国在住の後輩に会う時、時々こういう表現を使う。

「日本人の精神文化、心持ちというのは大したものだ。ユネスコが色々と世界遺産を持ち上げているけれど、日本人のこの精神文化こそ、ユネスコの世界遺産に登録して末永く毀損を受けない無形の文化財として保護すべきではないか」

日本は歴史的に見て、固有の文化はもちろん、外来の文明と文化をことごとく、こだわりと匠の精神を持って、日本になじむ固有の文化に消化し、昇華させている。古代において中国大陸、朝鮮半島から伝来した諸文明、文化はもちろん、現代に至る西洋文明の流入等において、日本は極めて円滑に日本のものとしてアレンジしてきたといえる。

それこそ、匠の精神、そしてこだわりの精神の日本人ならではの独特の気質の賜物だと思う。特に〝こだわり〟は日本の国民性を代表する最たるものではないかと私は思う。何故かと言えば、私の見る所、日本人には何事においても几帳面で、物事を適当にあしらうことがない。とことん突き詰め、結果を出さないと気がすまない気質、食品なら味だけではなく美しさも極めようとし、その上品質管理も徹底する。外国の人の目からは、病的に見える程、日本人の〝こだわり〟という立派な気質が社会を支えているように思える。そしてそのベースには、日本人の仕事への強い責任感と忠実さ、さらには規則遵守の良習、強い遵法精神があるのだ。

法や規則を守ることが空気の存在のように自然なのが、日本人の持つ遵法意識ではないだろうか？　当然のことでありながら最も難しい点でもある。発展途上国とか、人権の無視されている独裁国などでは、遵法はおろか、「俺の物はもちろん俺の物だが、お前の物も俺の物だ」という嘘のような論理がまかり通る世界もあるということを考えると、そのあまりの隔たりに驚愕するばかりである。

■現在の日本と未来

ここで、日本独特の文化の一つとして特記したいのが、「天皇に対する国民の尊敬と皇室の尊厳」である。

世界に多くの王制もしくは立憲君主国が現存するが、日本の皇室とは意味が違う面が多い。日本の皇室は即ち日本の歴史であり、伝統であり、国民統合の象徴である。それは、日本文化の求心体であり、核心である。

また、日本は世界の最長寿国であり、経済的にも世界有数の大国であるが、この長寿と経済大国を支えている骨幹はやはりきれいな環境と技術、そして国民性である。

近年、経済指標でもって、強国とか先進国とかの序列を表す傾向が強くなっているが、私はこれには賛同できない。経済よりも普遍の価値観こそが人間の生きる価値であり、もちろん経済を無視するものではないが、普遍の価値観もない社会で、いくら経済が発展したとしても、それは決して先進社会とは言えない。先進社会というのは、自由民主主義の下、国民のための政治・善政が行われている社会、社会正義が働き国家の理念が正常に具現されている国家を意味するものである。例えば、中国がいくら巨大な経済大国になろうと、今の様に貧富の差が広がり、不正腐敗がはびこる共産党独裁の社会を、先進社会とは呼べない。

次に指摘したいのは、日本の現在の姿である。

日本の今の姿は、戦前の日本ではないと言えば、誰もが同意すると思う。だからと言って日本が過去の伝統、歴史、文化を捨てたかと言えばそうではない。今までずっと述べたように、日本はその冠たる歴史、伝統、文化を継承しつつも生まれ変わったということである。

ここで特に指摘したいのは、日本は世界で稀にみる超現代的な先進工業国であるばかりか、社会、経済、政治の各部門でも先進的民主主義国家だということである。この生まれ変わった日本を戦後から今まで七十年間以上、休むことなくいじめ続けている国家がある。笑止千万である。終戦後講和締結により国交正常化を達成して以降の国際関係というのは、相互の国益を尊重し、国際平和のために各国相応の善隣外交をその国家理念とするべきであるにもかかわらず、日本の周辺諸国の中には、生まれ変わって別の人格に成り変わった日本に対し、ありとあらゆる因縁を付け、政略的にほしいままに狼藉を働いている国がある。

国際政治面での話は一切省いて結論的に言いたいのは、日本は立派な国であるが故に、戦後のこれら蛮夷たちの不当干渉の挑戦を退けることもできずに今日に及んでいるということは誠に遺憾なことである。これは歴代の政治リーダーの責任が大きい。

私はこの稿で日本の日本たる優れた多くの面を礼賛したが、日本が現在直面している内外の負の面を知らずに言っているのではない。今、世界はどの国も日本以上に多くの困難を抱え喘いでいるのである。日本だけではない。だが日本だけにある特異な点が二つある。

その一つは長期政権がもたらした政治腐敗、政・官・財の癒着、行政の無駄から来る国民の生活、主に雇用と生活安定への不安である。これは、政治家の責任であり、同時に誠実・勤勉極まりない国民への背信である。

二つ目は、歴史認識の問題である。国体を守護し、国の歴史を正し、国に誇りを持ち、国を愛する国民に拠って繁栄する国造りに戦後の日本は失敗しかけているのである。失敗しかけている主たる責任は政治にあるが、私が口を極めて礼賛した日本の特異性にもあると私は思う。即ち日本の伝統・文化、国民性の長所の諸々が裏目に出た結果がもたらした悲劇とでも言えようか。それ程日本は優美な国なのである。

日本がこれから本当の日本らしさを取り戻すのは、勿論、政治家の責任ではあるが、私の見るところでは、特段の決意なくしては為し得ない。天佑神助はない。世界は冷酷極まりない。今必要なのは国民指導層の覚醒である。日本にも、国を売り、国民を食い物にしている所謂似非学者、似非言論人が意外と多いことに驚いている。

国民を欺き、甚だしきは敵から資金を貰って暗躍している偽善者もいる。戦後日本は民主主義先進国家の地位を築いたけれども、このままでは、国体としての歴史、伝統、文化において主体性と方向性を失い、迷走し続けるのではないであろうか。今の韓国がまさにそうである。

日本は直ちに自らの方向性を正し、国民性と文化・歴史・伝統からなる日本の底力を発揮して必ず立ち直るものと、私は信じている。

二章　「少飛魂」と韓国空軍

■少年飛行兵を志す

私は昭和三年に、今は北朝鮮第二の都市、東海岸の中部にある咸興（ハムフン）で生まれ育った。小学校は朝鮮人生徒だけの学校に通ったが、中学校は内鮮共学の興南工業学校に通った。内鮮共学とは、日本人と朝鮮人を同じ教室で学ばせることである。

大東亜戦争の戦局が風雲急を告げた昭和十八年、当時中学三年生だった私は、少年飛行兵（少飛）を志願した。興南工業学校は、現在で言うところの中高一貫校だが、上級生に四年生がいて、新設校だったため五年生はまだいなかった。そんな中、三年生の朝鮮人である私と、四年生の同じく朝鮮人である朴東薫（パクトンフン）（日本名：大河正明）先輩が、日本人を差し置いて真っ先に少飛に志願したから、学校中が大騒ぎになった。

当時はアッツ島も玉砕し、山本五十六も戦死して、戦況はかなり悪化していた。今思うと、よりによってどうしてこんな時期に、と疑問すら感じるが、そのときの熱気たるや、やむにや

興南工業学校の壮行会にて。「山城」とは著者の日本名（山城基弘）。
最前列右から三人目が著者。

まれぬ感情としか言えなかった。熱病と言ってもいい。とにかく「自分は少飛にならなければならない」と思った。

その翌年からは、日本人の学生たちも我も我もと志願して、海軍の予科練や私のように陸軍の少飛に入って戦った。皆私たち二人の後輩ということになる。

ちなみに、私と同時に志願した朴東薫先輩だが、東京陸軍少年飛行兵学校に十五期乙種として入学して短期速成要員となり、私より六カ月早く教育訓練を終え、早くも昭和二十年四月には、沖縄で特攻隊員として戦死している。

彼は満洲の基地から命を受け九州の知覧に行く途中、ソウルに立ち寄り、家族に別れを告げた後、父と共にソウル南山の中腹の朝鮮神宮に参拝している。まぎれもない皇国民であり、帝国軍人であった。
戦死後に「半島の神鷲」と讃えられ、当時の朝鮮総督府の高官が自宅を訪問して弔意を表したと聞いている。

■東京陸軍少年飛行兵学校へ

私が突然少飛を志願したのは、単なる思いつきではない。幼い頃から、絵を描くのは飛行機ばかり。小学校から中学校にかけては、当時流行った『航空少年』をはじめとする雑誌を買いあさり、勉強よりも夢中になったのが飛行機だった。当時の私は「航空少年」であり、「軍国少年」だった。

そんな私の少年時代に非常に大きな影響を与えたのが父だった。父は実業家で、鉱山の経営やゴムの生産、ズックやゴム長靴の製造など手広く事業を展開しており、京城（現在のソウル）にも事務所を構えていた。

当時、企業や一般人が国防献金としてお金を軍に供出し軍用機を献納するという、「献納機」といわれるシステムがあったが、私が十歳くらいのときに、父はそれに一万円寄付したとのことだった。当時の一円は現在の約二〜三千円に相当するので、大金である。

７歳の著者とその家族。左から著者の父、弟、著者、兄。後ろにいるのは著者の姉。

その父の書斎には、壁一面に世界文学全集や日本の文学作品などの人文教養書のほか、時事問題や日清日露戦争関係の文献がいっぱい詰まっていた。それを小学校のときから意味も分からず読みあさっていた。多感な時期に豊かな感性と広い視野の素地が養われたのは父のおかげである。

私は恵まれた環境で憧れの航空少年を夢見て、それを実行に移すことができた。

当時の同僚の中には、親から反対されたのでこっそりハンコを捺して申し込んだ……という者もいたようだったが、私の場合は幸運なことにスムーズに親の承諾を得ることができた。親が事業をやっていたので、その後継者のことを考えていたと思うが、私には三歳上の兄がおり、それもあって自由にやらせてもらえたのかもしれない。

当時、朝鮮人は志願兵のみで徴兵はなかったので、学生だった兄は戦争には参加しなかった。戦後の日韓両国ではこのあたりにも大きな誤解があるので、敢えて触れておきたい。

朝鮮半島に帝国陸軍の志願兵制度ができたのは昭和十三年のことだ。初年度は志願者の競争率は七倍強だったが、翌昭和十四年には二十倍になった。ピーク時の昭和十七年にはなんと約六十倍以上に達した。これがいったい何を意味するのか。「日本軍は韓国人を強制連行して無理やり戦争に駆り出した」という戦後の論調が全くの嘘っぱちである証明なのだ。

戦況も押し詰まった昭和十九年に、ようやく朝鮮半島でも徴兵制が導入されるが、内地から大幅に遅れての導入であることを忘れてはならない。

選抜された志願兵は六カ月間の教育で兵隊として実戦に配備された。この志願兵出身者が戦後韓国陸軍で大勢幹部になっており、中には参謀総長になった人物も何人かいる。もちろん日本の陸軍士官学校出身者と比べると学歴の面ではぐんと落ちるので、キャリアの面では優遇されたとは言えないが、そこから叩き上げで幹部や参謀総長まで昇りつめた努力には心より敬服する。ちなみに後に韓国の大統領になる朴正熙は、この志願兵制度で当時日本の影響下にあった満洲国陸軍軍官学校に入隊し、その後、日本の陸軍士官学校へ編入し、卒業している。

さて、めでたく少年飛行兵学校の合格をいただいたものの、朝鮮半島から兵学校のあった東京の北多摩郡（現在の武蔵村山市）に辿り着くまでが、また一苦労だった。

東京陸軍少年飛行兵学校。現在の武蔵村山市にあった。

昭和十八年九月、咸興から列車（鮮鉄）を乗り継いで釜山に到着した。そこから関釜連絡船に乗って下関に向かうのだが、当時はすでにアメリカ潜水艦の脅威を受けていて、大変不安な夜通しの航海だった。無事に下関に到着すると、今度は東京行の列車に乗った。当時は新幹線などなかったので、下関から東京までどんなに早くてもほぼ丸一日近くかかった。列車の中で夜を明かし、翌日、東京駅に到着。

生まれて初めての東京だったが、当時の感触では私の故郷の咸興や京城（現在のソウル）と都市としてのインフラとか外見はそれほど変わらない印象だった。今思うと、それだけ当時の日本政府が朝鮮半島に予算を回してくれていたんだろうと思う。

そこから別の列車に乗り換えて、ようやく少年飛行兵学校に辿り着いた。今考えたら、十五才の田舎者がどうやってここまで辿り着けたのか、と感慨深い。

ともかく、こうして私は東京陸軍少年飛行兵学校に十七期甲種として入学した。

■大分教育隊での思い出

その後、東京陸軍少年飛行兵学校大分教育隊設置に伴い、私は約九百名の一人として、大分に行くことになった。東京の施設は昭和十年の東京陸軍航空学校の開校に伴って建てられた真新しい建物だったが、大分の施設は明治時代に建てられたカビだらけの古ぼけた建物だった。それを一部改造して校舎にしたとのことだった。

学校では、国語や数学などの座学のほかに、兵器学や地政学などを学び、練兵場ではグライダーの練習や剣術、射撃をしていた。

期間は一年だったが、普通の教育の二〜三年にあたるくらいの密度を感じた。朝六時から夜十時まで、授業がぎっしり詰まっていたが、やっぱり若かったからそれを全部吸収できた。毎日が強行軍だったから、かなり鍛えられたと思う。私はもともと操縦士志望だったが、適性検査で惜しくも通信に配属となった。

大分教育隊では、通信要員の育成を主眼としていたため、基礎教育とは別に通信の専門課程を学ぶことができた。ここで通信に関する専門的なことを学んだおかげで、後に「通信の崔」と呼ばれるようになるのだが、それくらい若いうちに得たものは後々まで残るのだと実感した。

自慢話のようで恐縮だが、翌年四月、大分教育隊に十八期の後輩が入隊してきた。それに伴い、先輩にあたる我々十七期から、各区隊ごとに二人の指導生徒が任命されることになった。指導生徒は二カ月の任期で、日中は自分の授業を受け、放課後は担当の後輩と起居を共にしながら生活指導をするという役割だった。それに私が、四十五名の中から選ばれたのだ。朝鮮出身である私が、模範生徒として上層部から認められたということである。

大分陸軍少年飛行兵学校正門前の著者。

　自慢話ついでに、印象深い思い出を一つ語らせてもらいたい。飛行兵学校を卒業するときに航空総監賞、いまで言うところの参謀総長賞の表彰があった。約百九十名の一個中隊から一人ずつ、それが五個中隊あったので五人選ばれた。一個中隊は七つの内務班に分かれていて、そこから一人ずつ七名の候補が選出された。その七名が審査を受けて、選ばれた一名が一個中隊の代表として卒業式で表彰され、懐中時計をもらうというわけである。

私は当時全然内容を知るすべがなかったのだが、戦後約二十年以上経った一九七〇年代のこと、当時別の内務班の班長だった田中曹長という方が、ソウルに住んでいた私を訪ねて来た際にこう仰(おっしゃ)ったのだ。

「崔君。実は、あなたの卒業時の航空総監賞の審査のとき、私はあなたを七名の中で一番に推したんですよ。結局、あなたは代表にはなれなかったけれど、そういうことがあったことだけは話しておきたかった」

自分が他の内務班長でありながら、私を見込んで、推薦したということを明かしてくれたのだ。当時、私も相当努力したのは事実だが、それを大変高く評価していただいたことを後に知って、非常に驚き、また嬉しくもあった。

戦争末期に、朝鮮や台湾からの志願兵や召集兵が、内務班内で馬鹿にされたり差別されていた、という話がまことしやかに伝わっているようだが、少なくとも私の実体験においては、日本人から差別や嫌がらせを受けたことは全くなかった。先に紹介した私のエピソードが、それを証明している。

陸軍少年飛行兵学校時代の集合写真。前から二列目の一番右が著者。

学業で優秀な成績を修めることも重要だ。しかし、軍隊生活における後輩の指導生徒となると、これは、学業の成績の問題だけではなく、風俗、習慣、文化も関わる問題である。それを出自の違う朝鮮人出身の私に任せてくれ、日本人の仲間たちもそれを当然と思ってくれたことは、それは破格の評価だと私は考えるし、今も誇りに思っている。

少年飛行兵学校における朝鮮人の扱いについて、もう一つ言っておきたいことがある。学校とは言うものの、「兵学校」であるからして、在学中に特攻を志願して戦死した先輩、同輩、後輩も数多い。そんな中、朝鮮半島出身者が特攻で戦死すると、その都度上官から私が呼ばれて、「君の先輩が斯く斯く云々で、特攻戦死したよ」ということを告げられた。それだけ、上官も朝鮮人である私に対して気を使ってくれたということで、大変ありがたかった。

今も我々は当時の少飛時代に対して、大変誇りをもっている。日本だけではなく、韓国にも少年飛行兵同期会があり、強い絆で結ばれている。

■飛行技術の話

飛行技術についても話をしておきたい。

まず大前提として、飛行機に乗って一対一の戦闘をするような技術を身に付けるには、基本的に最低三百時間の操縦訓練が必要である。

しかし、戦況が悪化した当時の日本軍にそんな余裕はなく、少飛出身の特攻隊員で非常に有名な十五期乙種の荒木幸雄さんは、七十二時間の訓練で実戦投入された。百時間も満たない。荒木さんは前述の航空総監賞を受賞した非常に優秀な方だったので、そんな短期間でも実戦で戦うことができたが、通常だと一人でやっと飛べるようになったばかりという段階である。

いまの飛行機はしっかりした構造だし、安全にも配慮されているだけでなく、計器などもハイテク化して、だいぶ操縦士に優しくなってきたようだが、当時の飛行機は華奢な構造で、計器もシンプルだった。だから通信士を兼ねた航法士が同乗して、飛行機の方向を間違えないように誘導してくれないと、飛行機は、視界不良時に障害物に激突したり、基地に戻れなくなって墜落してしまうのだ。

実は当時は、操縦法よりも航法のほうが難しかった。飛行機が現在の自分の位置を確認するには、当時は電波を使った方向探知機しかなかった。方向探知機というのは、目的地の電波の周波数に合わせて受信するようにすると、飛行機に載せてある方向探知機の受信機が正しい方向に向かっているのかどうか音で指示してくれる機器である。具体的には、左に偏った場合には「ツートン」、右側に偏ったときには「トンツー」、正しい航路をとったときには「ツー」という連続音が出るようになっていた。しかし、当時の装備はプリミティブな装備だったから、ツーという音だけ聞きながらまっすぐに行ったら、目的の飛行場の上空を通過して、反対の側に行く恐れもあった。

そこで、その飛行場の半径何キロの範囲内ではその上空を通過するときに、羅針盤に信号が来るようになっていた。だから羅針盤がまわった地点で、「ここが目標の飛行場の上空だ」と判別できたのだ。

夜真っ暗なとき、雲に閉ざされたとき、霧で視界が塞がれたときでも、飛行場の上空だということが判断でき、そこから旋回しながら、雲の下に下がって安全に降りられる。

ただ飛行場への移動ならそれでいいが、戦場への移動はそうはいかない。戦場から電波が発信されているわけではないから、計器や地図、海図などを駆使して、安全に飛行機を目的地に誘導しなければならない。だから難しい。しかもうまく誘導するだけではなく、勘も鋭く働かさないと飛行機はとんでもないところで衝突したり、墜落してしまうのだ。

実は戦時中、日本の空軍は特に航法面で遅れていた。それで一個戦隊全二十五機が、もろとも方向を間違えて海に落ちた、といったような悲劇が多数起きた。戦わずして犠牲になるというのは、非常に悲しいことだ。

一方、アメリカの航法は当時からかなり発達していて、そういった例はあまりなかったようだ。また、アメリカは生命尊重の精神が進んでいたので、潜水艦が多数配置されて、落ちたらすぐ救助される。米軍機は海に落ちたら自動的に電波を発信し、哨戒機が電波をキャッチ、潜水艦に連絡して救助、という形で助かったケースが多かったようである。

ところが、日本の場合はこうなる。

「おまえ、どうして死なずに帰ってきた？」

このような、精神論が行きすぎたところは、日本は反省すべきだと思う。

■終戦と除隊、そして帰国

昭和十九年九月、私は陸軍少年飛行兵学校一年間の教育訓練を終えて、上級校である陸軍航空通信学校に入校した。当時十六歳だった。

陸軍航空通信学校は、茨城県水戸市の中心・水戸駅からおよそ南方に七キロメートル、国道六号線（旧水戸街道）沿いに位置し、陸軍航空通信のメッカとして各種の教育訓練及び電子・通信分野の研究、開発、審査を任務としていた。

航空通信と言っても、その中には航空機搭載の電波探知機、各種通信装備の装着及び整備、安全航行のための航測通信、機上無線通信、地対空通信、基地間の指揮通信、情報通信などがあり、その範囲は広い。そして飛行場には各種の最新鋭機種が勢揃いしており、我々のための訓練用飛行機の他、飛行場は何時も一時訪問の各種飛行機で賑わっていた。

私はここで機上無線搭乗員としての教育訓練を受けた。大型機には専門の航法士、爆撃手、射撃手が乗り組むが、小型機の場合は無線士が一人で皆こなさなければならない。厳しい教育訓練を受け鍛えられた。筑波下ろしの北西風の強い水戸の冬は寒かった。

翌昭和二十年三月末に陸軍航空通信学校を繰り上げ卒業し、兵庫県加古川市尾上町にあった陸軍加古川飛行場（加古川教導航空通信団）に配属された。ここは我々のような少飛の訓練拠点だけではなく、特攻隊の出撃拠点でもあった。そこでは淡路島や明石のほうに展開しての飛行機での実地教育、演習をしていた。

そして特攻隊の待機要員として訓練を続けていたさなか、運命の八月十五日を迎えた。

当日の朝、中隊長から「昼に重要なことがあるから、広場にみな集まれ」と告知があって、広場に整列して聞いた記憶がある。実際のところは、天皇陛下の有名なラジオに出てくるあの部分は聞きとれたが、他の部分はジャージャーという雑音に紛れてほとんど聞き取れなかった。

しかし、実際のところは、こと我々に関しては事前にそういう雰囲気は理解していた。というのも、我々は通信業務を担当していたので、いつも通信機でいろいろな情報を把握していたからである。日本の大本営では「敵の航空母艦を何隻沈めた」という発表がされていた裏で、アメリカ側の「日本の飛行機を落とした」とか「戦艦大和が沈んだ」といった情報も入ってきたのだ。

そういうわけで、「日本の皆様、戦争は終わりましたよ」という宣伝放送のきれいな女性の声も既に聞いていたので、薄々と「日本は戦争に負けたんだ」ということは知っていた。だから実際に天皇陛下が重要な話をすると言われても、「まあいよいよその時が来たんだな」と淡々と受け止めていた。

いわゆる玉音放送の後、部隊長から「おまえら朝鮮出身者は早く帰って、独立に貢献せよ」という話を受けて、私たちは朝鮮に帰国することになった。

それを聞いても、私は一つも嬉しくなかった。逆に「これは大変なことになるだろうな」と不安感が募った。その時の感情は、今もまざまざと記憶に残っている。

さて、実際に除隊したのは終戦の十日後の八月二十五日だった。除隊した私は、まず下関に向かった。しかし、下関の埠頭に着いたものの、まったく朝鮮半島、釜山行の船は運航していなかったのだ。そこで仕方なく、正規ではない闇船のキップを二百円で買った。この二百円は除隊の際に軍からもらった手持ちの全財産だった。

余談だが、この支給金額は部隊によって違ったようで、私の部隊では二百円だったが、ある部隊では四百円くれたところもあれば、また別の部隊では三千円というところもあったようだ。

さらに私の場合、惜しまれることがあった。朝鮮から日本に渡るときに、父が百円を持たせてくれたのだが、それを使わずに部隊で作らされた口座に入金していたのだ。その後丸二年間、小遣いも使わずに貯めていたところ、最終的に二百五十円くらいの残高になっていた。それを終戦のどさくさで軍の対応が行き届かず、最後に支給された二百円しか持って帰れなかったのである。それを闇船にみな投じ、結局一文無しで釜山に下りる羽目になった。

その闇船の航海も順調ではなかった。百トン足らずの木造貨物船に三百余名が立錐の余地なく詰め込まれて、結局出航できたのが九月一日。台風ではないけれど、時化があり、治まるまで先に行けないということで、対馬の北端にある比田勝港で船中泊をした。港では対馬の人々が握り飯を一個ずつ配ってくれてそれはとても嬉しかったのだが、一文無しだったのでそれ以外は丸一日何も食べることができず、ひもじい思いをしたことを覚えている。

翌日、這う這うの体で釜山に着いたものの、もうフラフラして動けないから、釜山の露店の市場で一夜を明かした。その露店の店主に頼んで、電話をソウルの家にかけさせてもらった。というのも、当時父の事業の関係でソウル市内にも家があり、家族は咸興から避難してソウルに留まっていたのだ。

「今到着して、今日列車でソウルに帰ります」

一文無しだったのだが、軍服を着ていたせいか特にとがめられることもなく、釜山からソウルには列車で移動することができた。

父がソウル駅に迎えに来てくれた。父は泣いていた。

■母方の叔父の思い出

咸興の家については、その後、生涯戻ることができなかった。北に残してきた父の財産もすべて失うことになった。

父方の親類は皆、南に逃げることができたが、母方の実家は祖父が高齢で動けなかったため、南に逃れられず生涯の別れとなった。連絡すらできなかった。母方の二人の叔母の夫は、一人が内務省の要職、もう一人が商業学校の教頭だったが、拉北（らほく）されて以後、杳（よう）として消息は知れないまま七十年以上音信不通である。

ここで、消息を知ることができなかった母方の親戚の中で、母の弟である叔父についての思い出を少し語ってみたい。

叔父は、東京・上野の美術学校で油絵を学んでいた。現在の東京芸大である。朝鮮半島から日本に留学するだけでも十分エリートと呼ばれたが、油絵を学んでいたというのだから、当時としては大変なエリートだった。

美術学校を卒業した叔父は、咸興に帰郷すると、「真砂館」という映画館の経営を始めた。一週間ごとに邦画や洋画の新作が封切られ、それを私は小学五年生の時から毎週見ていた。ちなみに当時の映画には弁士がついており、楽団の演奏で雰囲気を盛り上げていた。そんな時代だった。

だから私は当時小学生でありながら、俳優の名前数十名ぐらいはその場で言えたのがちょっとした自慢だった。嵐寛寿郎、阪東妻三郎、田中絹代、ゲーリー・クーパー、ジェームズ・キャグニー……。幼いころから映画のシャワーをひたすら浴び続け、家に帰れば父の書斎の蔵書を読み漁る。読書や映画、そして叔父から直接聞いた話から私の中で内地（日本）に対する思いはどんどん膨らんでいった。

こういった環境だったので、同級生たちとは視点も考え方も価値観もだいぶ違っていたのかなと思う。

さて、遺された咸興の家についてだが、その広い敷地にソ連軍がどうやら高級官僚の官舎を建てたという話を風の噂で聞いた。実際にグーグルアースで確認すると、確かに大きな建物が我が物顔で建っているのを確認できる。

当時朝鮮半島にいた日本人のうち、いわゆる三十八度線以南の韓国では、比較的酷い目に遭ったり命を落とした人は少なかったようだ。自分のお金は持ち帰れたらしい。

ところが、三十八度線より北の北朝鮮にいた人々は悲惨の一言に尽きる。裸同然で追い出され、路頭に迷わされて、収容所に入れられた人、凍死した人、餓死した人、病気で亡くなった人など。朝鮮半島にいた日本人の約十パーセントが亡くなったと言われている。

北朝鮮という国はそもそもソ連の傀儡である。やり方がソ連と同じでとにかく酷（むご）いとしか言いようがない。日本の皆さんは、日本人が当時北朝鮮でされたことを覚えておかなければならない。当時の北朝鮮のことを考えるだけで、今も腸（はらわた）が煮えくり返る。

■父とその後

ソウルの家で生活することになった私は、まず学校に行きたいと考えた。日本の飛行兵学校を卒業しているので、そのまま大学に直接入学することも可能だったが、普通の勉強をやり直そうと考え、まず高校に入学することにした。高校に入るにあたって、まず父の許可をもらわなければならない。

「私、勉強し直します」と父に言うと、父は笑いながら、

「そうか、よし、わかった。じゃあ、後で学費はみな返せよ」

「わかりました、返します。お願いします」

こうして、私は高校に入学し、さらに大学で学ぶこととなった。

確かに父は北の財産はすべて失ったのだが、ソウルに残っていた財産で引き続き事業をすることができた。

しかし、その年の十一月、父は朝鮮油脂株式会社の仁川火薬工場（現ハンファグループ）に産業視察に行った際に、工場実験室の火薬が爆発し、無残にもその場で殉職した（享年49）。

父は当時、実業家として、戦後の韓国経済産業の再建をめざして結成された「朝鮮産業建設協会」の副委員長（常務委員）を務めていた。生きていれば、経済産業界を牽引していくことが期待される人物だっただけに、無念でならない。

この事件は当時の「東亜日報」（一九四五年十二月九日付）でも報じられた。記事には「朝

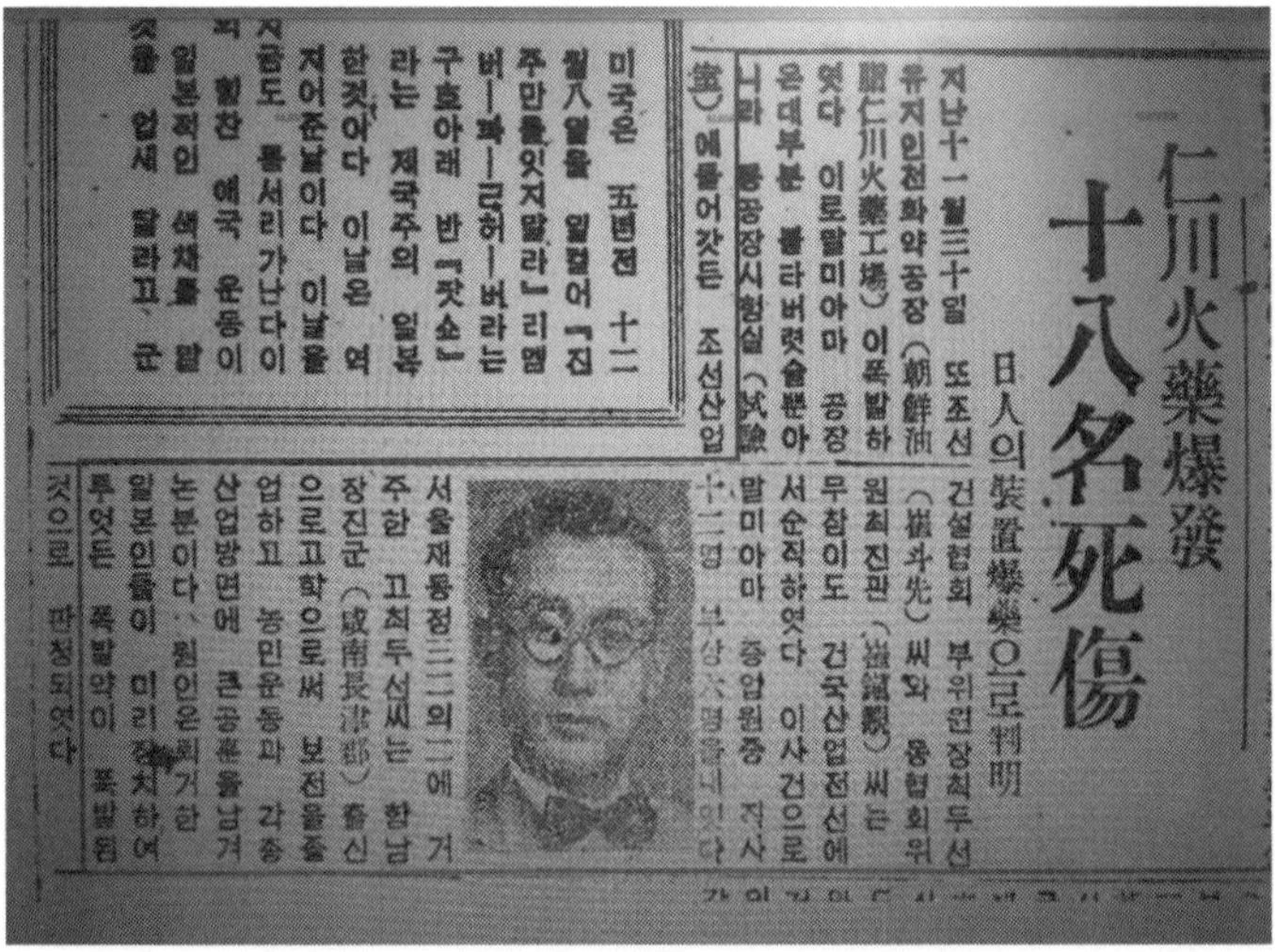

仁川火藥爆發
十八名死傷
日人의裝置爆藥으로判明

지난十一월三十일 또조선유지인천화약공장(朝鮮油脂仁川火藥工場)이폭발하엿다 이로말미아마 공장은대부분 날라버렷슬뿐아니라 동공장시험실(試驗室)에들어갓든 조선산업건설협회 부위원장최두선(崔斗先)씨와 동협회위원최진관(崔鎭觀)씨는 무참이도 건국산업전선에서순직하엿다 이사건으로 말미아마 종업원중 사자十二명 부상六명을내이엇다

서울재동정三二의二에거주한 고최두선씨는 함남장진군(咸南長津郡)출신으로고학으로써 보전을졸업하고 농민운동과 각종산업방면에 큰공훈을남겨논분이다、원인은퇴거한 일본인들이 미리장치하여두엇든 폭발약이 폭발된것으로 판정되엇다

미국은 五년전 十二월八일을 일컬어『진주만을잇지말라』리멤버ー퐈ー큰허ー버라는 구호아래 반『팟쇼』라는 제국주의 일복한것이다 이날은 여지어준날이다 이날을 지금도 롱서리가난다이 희한 애국 운동이 일본적인 색채를 말끔 업새 말라고 군

著者の父（崔斗先）の殉職を伝える新聞記事。

鮮産業建設協会副委員長の崔斗先氏、建国産業前線で殉職。普専（高麗大学の前身）を卒業し、農民運動と各種産業方面に多大な功勲を残した。咸鏡南道長津郡出身、ソウル鐘路区斎洞在住」とある。

退去する日本人が爆薬を仕掛けて置いたとの噂もあったが、事故当時の様々な情況から判断してその可能性は低い。

■韓国空軍に入隊する

帰国後、大学で英文学を専攻し勉強を続けていたのだが、結局発足したばかりの韓国空軍に入ることになった。これには、私の一つの思いがあった。

日本の軍隊を経験して感じたことなのだが、

今まで憧れていたことと現実の衝突、ギャップは当然あった。さらに、日本の軍隊が持つ性質の特殊性もあった。平たく言えば、「所詮、軍隊も学歴社会と同じ」ということである。「将校」「下士官」「兵」の枠組みがあり､兵は消耗品でしかなかった。下士官はとにかく働くしかない。ある意味、職業軍人の足軽（下っ端）だ。将校にならないと人間としてまともに扱ってもらえない。それに気づいてしまったのだ。

そうならないためには将校になるしかない。将校になるには勉強しなければならない——そういう強い思いを持つに至ったのだ。

私のこの固い意志とは裏腹に、それを許してくれなかったのが、戦後一九四五年から朝鮮戦争が起こる一九五〇年までの五年間の国内の混乱だった。産業は疲弊し、国民生活は塗炭に落ちていた。政治情勢は本当に滅茶苦茶で、右派左派の理念の対立と葛藤が続く中、誅殺、謀殺、暗殺が横行し、無政府状態もかくやというありさまだった。

さて韓国軍の成り立ちについていうと、大日本帝国軍が敗戦によって撤退し、アメリカ軍政下でまず南朝鮮国防警備隊が発足した。これが韓国陸軍の前身である。その三年後の一九四八年、大韓民国建国に伴い韓国陸軍に改編された。

海軍も陸軍とほぼ同じ経緯だった。米軍政下で海防兵団が発足。その後、同じく建国に伴い韓国海軍に改編されたのである。

空軍だけは軍政下での創設が認められず、一九四八年に陸軍の一部としてようやく軽飛行隊として創設された。その後、必死の交渉を経て、一九四九年十月に韓国空軍として陸軍から独立できたのである。私が空軍に入隊したのはそのタイミングだった。

できたばかりの空軍は、とにかく人材難だったようで、私のように少飛出身者はもちろん、戦時中、民間の航空部門で働いていた人材までとにかく経験者に手当たり次第に声をかけていたようだ。

最初は「兵長でしかなかった私が、国軍の大きな力になれるわけないじゃないか」と断ったのだが、とにかく「来てくれないと空軍の創設は成り立たない」と毎日のように押しかけてきては、食い下がってきたのだ。その根性には敬服した。

結局押し負けた形で入隊することになるのだが、その理由としては、先ほども述べたように、韓国の混濁した政治状況の中で、将来の展望が見えない、ああこれは大変だ、なんとかしなければならないと思って、正直勉強に集中できなかったこともあり、人材を必要としている空軍の要望に応えたくなったのである。先ほども話したように、少飛の生活を通じて、「将校でなければ」という悔しさと言おうか、憧れのようなものがあったのも事実である。

こうして空軍に入隊したのだが、入隊時の身分は全員一等兵からスタートする。これは、後に大将になる人材でも同じで、仮に翌日大将になることが決まっていても初めは一等兵なのだ。

空軍大学の校庭にて。写真は大佐時代。最前列中央、右から三人目が著者。

私のように少飛出身の場合も形式としては一等兵でスタートしたが、すぐ下士官、軍曹、曹長の階級を経て、数カ月後には空軍航空士官学校の入学試験の機会が与えられた。ここで合格したことで、念願の将校になったわけである。

ちなみに戦時中の経験者には全二回の試験機会が与えられ、そこで一旦経験者の入学枠は締め切られ、それ以降は、韓国内の人材で賄うという経過を辿っていったのである。

士官学校の教育期間だが、空軍の場合、三カ月の短期教育で任官させられた。ただしこれは我々のような日本軍の経歴のあるものに限った対応だったようだ。陸軍の場合は、二カ月の場合もあるし、四カ月や半年ということもあったようだ。

その中でも、やはり少飛出身者だけでなく、大日本帝国軍出身者は軍の中でも一目置かれていたようだ。なんといっても、「正規の教育をまともに受けた、正統派の軍人」という認識が徹底していたからだ。

この正規の日本軍の教育を次世代に引き継ぐことができなかったのは、非常に心残りである。

■朝鮮戦争

韓国空軍に入隊しておよそ半年後の一九五〇年四月二十五日、私は少尉に任官した。その二カ月後の六月二十五日に六・二五朝鮮動乱が勃発する。いわゆる「朝鮮戦争」である。私は第六十通信戦隊作戦課長として従軍した。

当時私は任官早々で空軍通信隊本部の作戦将校であったが、部隊は今の金浦空港内の航空基地司令部内にあった。当日は日曜日で、米国の封切映画が人気だというので観にいったが、早朝上演中に突然映画上映が中断され、「三十八度線で北の本格的南進攻撃があった。将兵は直ちに原隊に帰隊せよ」との呼びかけがあった。家に帰り急いで軍服に着替えて金浦の原隊に帰り着いたのが午後三時頃。しかし、基地司令部一帯はもぬけの殻であった。

その時点で北朝鮮軍は、ソウル北方の東豆川防衛線を突破し包囲網が狭まる中、江華島を含む金浦一帯にいた韓国空軍部隊は一斉に部隊を撤収、南方に退却してしまったのである。原隊

北朝鮮軍の侵攻により焼け野原になったソウル。

を失った私は途方に暮れたが、一応ソウルの空軍本部に行って指示を仰ごうと本部に出向いたところ、空軍本部も南方に撤収してしまって数人の警備員しか残っていなかったのには驚いた。

政府は市民に対し「国軍は北朝鮮軍の南進を食い止めて、今反撃北上中であるから安心せよ」と放送しているうちに、砲声はだんだんソウルに近づいて来ているのである。

北朝鮮軍はT34中戦車を先頭に、破竹の勢いでソウルに向け南進を続けており、当時の韓国軍の57ミリ対戦車砲及び2・36インチ対戦車ロケット弾では北朝鮮軍の戦車は撃破できなかったのである。完全に虚をつかれたのであった。

北朝鮮軍は二十七日の未明にはソウルの外郭、議政府に到達し、ソウル陥落は間近に迫っていた。ソウルの南北を横切るように流れる漢江には、当時二本の鉄道橋と一本の車道橋しかなかった。この車道橋は二十八日未明、北朝鮮軍の遮断を目的に予告もなく韓国軍の工兵隊によって爆破され、数百万のソウル市民は退路を絶たれた。そして三カ月の間、北朝鮮占領軍による虐殺、拉北、強制収容等、筆舌に尽くしがたい阿鼻叫喚の惨劇を呈することになる。

北朝鮮のソウル占領は六月二十八日~九月二十八日の三カ月に及んだが、マッカーサー軍の仁川逆上陸によりソウルは奪還された。しかし、その間に蒙った犠牲は計り知れない。

ソウルの奪還も束の間、またもや中共軍の介入により一九五一年一月四日、ソウル市民はみんな南への脱出避難を余儀なくされたのである。このような悲惨な境遇は、日本人の皆さんは夢想だにできないことだと思う。

思えばこの一・四後退の日のソウルは、零下十八度の極寒であった。ソウル駅を出発する避難列車の貨車の屋根の上には、避難民が一杯鈴なりになってしがみついていた。凍死者も多数出たであろう。

朝鮮半島は、歴史上数多くの外国からの侵略を経験しているが、私はその中の二回を目撃し、体験した。武力で国土が蹂躙され、首都が二度にわたって占領されるということは、大変な悲劇なのである。

■「少飛」あっての韓国空軍

創設まもなく大きな戦いを経験した韓国空軍だったが、その経験から組織としてまとまりを見せるようになった。軍としての体制維持に大きな影響を及ぼしたのが、日本の陸軍士官学校出身者であり、私のような少飛出身者だった。

実際、軍の主流は陸軍士官学校出身者が多数を占め、要職には必ず私のような正規の少飛出身組が起用された。

少し話はそれるが、「もし朴正熙が初めから日本陸軍士官学校出身であったなら、韓国の歴史はもしかしたら変わっていたかもしれない」という私の考えについて述べてみたい。

前述の通り、朴正熙は志願兵として満洲国陸軍軍官学校に入学し、その後、成績優秀とのことで日本の陸軍士官学校に留学し、五十七期として本科に進んだ。士官学校生徒は予科と本科に分かれており、帝国軍人としての基本教育はこの予科で学ぶのである。

朴正熙は士官学校で予科を学んでいない。それが、正真正銘の日本の士官学校出ではないと考える理由である。

戦後の韓国軍の幹部たちは、国民党軍出身、満軍出身、日本士官学校出身という、三つの大きなグループに分けられるが、それぞれ全然違う。

その中で、純粋の日本陸軍士官学校出身者は、歩き方からして違う。とにかく颯爽としている。誇り高く、空気を切るように歩く。それから、大陸に蔓延る不正腐敗を知らない。潔白。とにかく立派な人が多い。

反面、国民党軍、満軍出身者となればその質はがた落ちである。

蒋介石が毛沢東に敗れたとき、五十万の国民党軍が台湾に逃げた。台湾の人々が日本統治五十年の間、一等国民に近い扱いを受けていたところに、青天の霹靂のようにボロボロの軍隊五十万が台湾に渡ってきて、一朝にして奴隷のような生活を強いられた。国民党軍はそれに反発する台湾人に対して血なまぐさい弾圧を続け、三十八年という長きにわたる戒厳令を敷き、やっと落ち着いたのが今の台湾である。

話は戻るが、朝鮮戦争休戦後、韓国空軍は急速に膨張した。韓国軍は自主国防ということで、朝鮮戦争中には一個戦隊しかなかった韓国空軍が、一気に十倍の規模になった。ところが急に規模が拡大したから、パイロットの不足が深刻になったのだ。

パイロットというのはご承知のとおり、数カ月のにわか作りで育成できるものではない。前述の通り空軍士官学校ができたものの、一学年七十名のうち操縦士適任者はせいぜい四、五十名。それでは到底賄いきれなかったので、少飛出身者はまさに即戦力だったのである。

朝鮮戦争勃発当時、韓国空軍に足りなかったのはパイロットだけではなかった。急ごしらえの軍隊だったため、戦闘機がなかったのである。もちろん爆撃機もなければ偵察機もない。あるのは、アメリカ製のT―6テキサンという高等練習機が十機、同じくアメリカ製の連絡・観測機であるL―4グラスホッパーとL―5センティネルが合計十二機。それが韓国空軍の全部だった。

米軍によるブリーフィングを受ける韓国空軍の精鋭たち。

それで、アメリカ軍の援助を得て、一九五〇年六月、韓国空軍の操縦士のなかから精鋭を十人選んで九州・福岡の板付基地（現・福岡空港）に送り、二週間かけて、アメリカ軍のF―51ムスタングへの機種転換教育を受けさせたのである。その十人の中でトップだったのが少飛二期の李根晳（イグンソク）。元隼の操縦士で、ビルマ戦線で墜落し、海上でアメリカ軍に助けられて、そのまま捕虜になった人で当時中尉だった。その次が、韓国の独立運動家・金九（キムグ）の息子で、中国で操縦士になっていた中国軍の将校・金信（キムシン）。彼が中国空軍にいたのは、父親である金九が上海に亡命（朝鮮独立のための臨時政府設立に参加）しており、中国で育ったからである。

　特筆すべきなのは、李根皙（イグンソク）以外にも何人か少飛出身者が選ばれていたが、すべて十四期以前の者だったということ。操縦技術として、少飛十四期と十五期の間には明確な一つの線が引かれていたのだ。戦闘機であるF―51ムスタングの操縦をするには、少飛十四期以前のスキルが必要だったと当初は考えられていたということである。

　後に、少飛十五期乙種から金斗萬、玉満鎬、周永福、三人の参謀総長を立て続けに輩出したが、彼らもその後ムスタングの教育を受けて、朝鮮戦争でムスタングで出撃した人々だった。空軍参謀総長の座は「命をかけて朝鮮戦争を戦った」ことへの論功行賞だったように思う。それ以外の少飛出身者はすべて大佐止まり。他の操縦士や通信・整備においては全員が私と同じように大佐どまりだった。

　ただ、通信分野において私はトップクラスだった。当時の「上」というのは、日本の陸軍士官学校、航空士官学校を出た五十四期から五十七期あたりの先輩たちだった。こういう人々の目線が、思いのほか甲種と乙種をはっきり区別しており、意識をしていたということである。甲種は「正統派の日本の軍隊としての命脈を維持する後継者」であり、乙種は「戦時の急ごしらえの人員」という認識であった。

韓国空軍にも少飛乙種出身者は多く、特に多かった通信隊では、他の分野に皆追いやられてしまった。

中には、忽然として行方不明になった者もいた。どこへ行ったかといえば、あとでわかったのだが、朝鮮戦争の際にアメリカのニコラス部隊という極東司令部直属の諜報部隊が朝鮮半島に送り込まれ、当時の金貞烈空軍参謀総長は、北朝鮮に送り込むスパイ要員を提供するよう指示を受けた。そして特殊訓練を受けた選抜者を、夜半に飛行機から落下傘で任地に降下させるのである。そして指示された情報を収集して、自力で帰ってこれればよいが、失敗すればそれで終わりである。そんな悲惨な目にあった男たちが何人もいた。私が把握していただけでも、十六期乙種でそういった任務に着かされた者が三、四人はいた。彼らのその後は杳として知れない。

実際軍隊の中でも、甲種と乙種の戦争に対する考え方の差は歴然としていた。甲種は、「古き良き帝国軍人」の心意気そのままに、戦場で死ぬことを美徳と捉える軍人ばかりなのに対し、乙種は、短期促成コースだったため、それほどまでの心構えは育ちにくい面があった。

これはやっぱり教育の違いであるとともに、いかに教育が重要であるかを思い知らされる証左でもある。たった何カ月の教育の差で、人間が大きく変わってしまうのである。

もちろん十五期乙種から参謀総長になった三人については、論功行賞で認められて出世をしたのだが、それ以外については基本的に甲種のほうが乙種よりも評価される傾向にあったのである。乙種の人々が聞いたら、大変寂しがる内容だが、仕方ないことである。

ちなみにこの少飛出身の三人の参謀総長のうち、金斗萬は韓国空軍士官学校の招集第一期で少尉に任官。私はその次の二期で、玉満鎬と周永福と同期だった。士官学校の卒業時の成績は、玉満鎬と周永福を追い抜いて、卒業生四十五名のうち、上位五位までが少飛十七期甲種の同期だった。

少飛なくして韓国空軍はなかった。

私は、まさに少飛魂で、気合いの入った人生を歩んできた。あらゆることにくじけず、逃げ回らず、正しいことは引き受けて実践する、そういう生活一点張りで生きてきた。学校や軍隊その他で「長」の名の付く役職を積極的に引き受けた。

少年飛行兵学校の訓話は「軍人精神を養い、品位を育てる」だったが、少飛は、私という人間を一年かけて作ってくれたと自負している。

■韓国軍の節目、メイド・イン・コリアへ

朝鮮戦争直後の一九五三年、韓国空軍の現代化の一環として、私はアメリカのイリノイ州に

あるスコット空軍基地のＡＡＣＳ（航空通信団）に派遣され、航空通信将校教育課程を修了して、一九五五年九月に帰国した。その後、空軍本部作戦参謀部編成課長、空軍本部秘書室長等を経て一九六二年大佐に任官した。

部隊長に初めて任命されて、勤務を始めて一月が過ぎたときのエピソードである。

ある日、退勤時間になって車に乗って出発しようとしたところ、車の後ろが妙に重たかった。振り返ってみると、六十キロの米俵が二つ載せてあった。それで見送りに出ていた副官に尋ねた。

「副官、後ろの米俵、これは何か？」

「それは毎月、部隊長殿に差し上げるお米です」

「なに、部隊長に差し上げるお米？　これは兵隊の食糧じゃないか。どうして私がこれを受け取るというのか」

「ええ、もう毎月の慣例になっておりますので、どうぞお受け取りください」

私はすぐさま車から降りて、補給参謀を呼び出した。

駆けつけてきた補給参謀を連れて米倉庫に行くと、担当の曹長がいたので、その場で米の帳簿を開けて確認させた。

空軍本部の将官クラスの人々、私を含む部隊長級、その他錚々（そうそう）たる面々に、兵隊たちのお米を横流ししていた事実が発覚した。

「どうしてこういうことをするのか？」

「いや、あの、部隊長殿。これは兵隊の休暇の時の分を計算すれば、これくらいの余裕ができるので、これは余りものとしてこうして差し上げたところでございます」

と弁明する。

「馬鹿なことを言うな。一粒でも余ればそれは兵隊の口に入るべき米であって、貴様らや上官たちに貢ぎ物をするための米じゃない。ここでは断じて許さない」

私はこう宣言した。

それ以降、今まで平たかった兵隊たちの飯の量が、急に山盛りになった。この噂が全軍に広がって、私の部隊の兵隊は私と行き違うとき、堅苦しい表情ではなく、ニコニコしながら敬礼をするようになったのである。

のちに、空軍本部の本部司令を務めたこともあったが、空軍本部では参謀食堂といって、高級将校だけは自分の金で賄う食堂が別にあった。しかし、これもいろいろ問題のある食堂だった。値段は高いし、食事は不味いし、高級将校は不平だらけだったのだが、私が司令になってからは新しいメニューを取り入れ、食事の味や質が向上したので、高級将校たちは、私が食堂に入ると、「崔司令、これは自宅でも売ったのかね」と声をかけてくるようになった。私が自分の家を売ってまでしてこれを賄っているのではという冗談のようなことを言って、そのやりくりの苦労を察してくれていたのだ。
問題は、私がその部隊を去った後、これが元に戻ってしまったことである。この清廉潔白さを永続させる風土が韓国にはない。当たり前のことが当たり前でなくなる社会、これが韓国の現実である。私が、というわけではないが、優秀な人材があっても活躍させることができない。それどころか優秀な国家的な人材がいれば、それを排除して、自分たちが利用しやすい人材にすげ替えるのが常である。韓国は日本の影響も確かに多く受けているが、残念なことに中国の好ましくない影響をより多く受けているのである。やはり、陸続きというのが大きな原因で、これは避けられない地政学的宿命なのである。

大佐時代の著者。

中国は今や形の上では世界第二の経済大国になったが、その実際は一部の共産党員が裕福な暮らしをして、半分以上は貧民というのが現実である。その一部の金持ちが日本をはじめ、海外で土地を爆買いする。その金を世界各国、アメリカや韓国、日本でばらまいて、領土拡張を正当化したり、反日活動を扇動したりしているのである。今の韓国は、その中国の悪いところを真似ているように見える。

そういう腐敗した社会の影響を受け、先の米俵の例で言うと、部隊長に米俵二俵なら、その上にいくほどさらに積み上げられていくわけである。北朝鮮という国は、それで成り立っている国であり、その頂点に金一族がいる。下から上に、その上はまた上にと、連鎖が続くのである。本当にもう処置なしとしか言いようがない。

だから私から見ると、日本という国は、政治も社会も、皆さんも、透き通って見える。政治もそうだ。密室政治などとよく言われるけれど、総理大臣が毎日のように国会中継でテレビに映っているのを見ると、韓国に比べてよっぽど透明だ。これが韓国だと、会社の社長から部長、課長にいたるまで、透けて見える人が少ない。こういうことを、上の立場の人間からバッサリ清めていかない限り、韓国社会は蘇らないと思う。

その後、私は一九七一年、四十二才で退役した。その後も、朴正熙大統領の下、軍の統制は維持されていたが、一九七九年に朴大統領が暗殺されるという事件が起きてしまった。

私の記憶する限り、認識する限り、それまでは軍隊であれ社会一般であれ、日本の精神文化は韓国社会に強い影響を及ぼしていた。

その次に現れた全斗煥大統領は、韓国陸軍士官学校の正規の四年制一期生だった。建国以降から数えると十一期生だが、正規の四年制の士官学校出としては一期生になる。何が言いたいのかというと、それまでは精神的バックグラウンドに日本軍の考え方があったが、この時期からその影響が薄まり、「メイド・イン・コリア」になったということである。これが、一つの時代の節目になった。

私が先日、ソウルに行った際、軍の後輩や同僚たちと集う機会があった。私が久しぶりに帰ってきたということで、十人くらいが集まってくれた。作戦司令官を歴任した人物なども含む韓国空軍の歴戦の兵（つわもの）たちの集いになったが、私はその場でこういうことを言った。

「あなたたち、もう少し老兵としての役割を担ってくれないか。私だったら後輩たちに檄を飛ばし、こういうことができるんじゃないか、という思いを強く持っている」

たとえば、文在寅政権が今やっている軍弾圧をはじめとする弱体化政策に対して、陸海空軍の参謀総長をはじめとする軍の幹部たちが団結して、「今のようなあなたの共産化に向けてのこういう政策は、我々国防上の責任を担っている者としては、受け入れがたい」というような声明を大統領に突きつけ、みなが文在寅政権の下での任務遂行を拒否した場合、どういう事態が起こりうるか。その上で、もし全員辞める羽目になったとしても、その次に出てくるメンバーもみな同じような態度を取った場合、果たして、いくら軍弱体化政策を強行しようと目論む文在寅政権といえども、それを推し進めることができるだろうか。

国民による大型のデモのおかげでかろうじて赤化政策にストップがかかっている現状だが、軍の首脳が反旗を翻すような事態が起きれば、これは決定的な、致命的なダメージを文政権に与えるのは確実である。

「あなたたちの力で軍をそういう方向に引っ張っていってほしい」とハッパをかけたところ、その場にいた者はみなうなだれて、誰からもなんの反応もなかったのだ。理想論とはいえ、やるせない気持ちになった。

今の韓国は、昔の韓国ではない国になってしまったのだ。私の軍隊生活当時の精神状態では、今の韓国のこの状態はもう許すことができない域に達している。当時だったら軍隊がいつ決起してもおかしくない状態なのに、今では軍隊どころかもう誰も動けない状態にまで陥ってしまった。本当に嘆かわしいことである。

三章　韓国の危機は日本の危機

■朝鮮半島は日本の安全保障の基軸であった

古代から朝鮮半島は大陸から日本への通路であったが故に、日本としては朝鮮半島に対して、常に安全保障上の努力を重ねて来た歴史がある。

しかしながら、日本が恒常的に北東アジアからの脅威に対峙させられるようになったのは、十九世紀の末以降である。北東アジアの脅威とは、大清帝国やロシア帝国という日本を脅かした強大な勢力を指す。

北東アジアの武力行使は必ず朝鮮半島を通じて日本に及ぶというのが、地政学的な構図である。日本が大陸での中国への関与を本格化したのは、第一次世界大戦への参戦によって列強の資格を認められ、英・米・仏・伊と肩を並べる存在としてパリ講和会談に出席し、山東省に於けるドイツの権益を継承して以来のことである。

しかし、日本にとっての不幸は、日本が関与を深めた中国が、諸軍閥、国民政府、共産主義ある。

勢力の権力確執に彩られた、およそ統一国家としての実体を持たない分裂国家であったことで

朝鮮半島においては、李朝時代もその末期に至るや、「衛生斥邪」（朱子学の道徳を守り、欧化や開化を排除する考え）のイデオロギーにますます強くしがみつき、時に清国、時にロシア、時に日本という大国に依存しようという「事大主義」の色を濃くし、自立と近代化への志向を欠いたまま政争と内乱に明け暮れていた。半島の混乱は清・露いずれかの介入を招くというのが歴史的経験則であり、これが日本に危殆化を招くことも歴史的経験則であるならば、日本にとって朝鮮半島の支配は、弱者に安住の地が与えられることのなかった当時の帝国主義時代の宿命とも言えよう。世界は不条理に満ちているものだと言わねばならない。極東の小国・日本が、アジアに於ける新しい覇権国家として認識され、日本を追い込む主勢力であるアメリカと中国大陸に次いで太平洋においても、鋭く対立するに至るのである。

日清・日露の両戦役は、朝鮮半島の地政学的位置が日本にとって宿命的なものであることを心底知らしめた歴史的戦争であった。しかし、この事実が同じく中国への勢力拡大を急ぐアメリカとの関係を悪化させ、日本はアングロサクソン勢力の支持を失い、中国というユーラシア大陸の懐の深い中心部で泥沼に足を取られ、悲劇的な道を突き進んで行くことになったのである。朝鮮半島での中国・ロシア勢力の排除は中国大陸でのロシア勢力の駆逐へと拡大し、その

結果日本が獲得した種々の権益は中国の抵抗を呼び、日中戦争へ、そして日中戦争の拡大は、列強の日本に対する封鎖政策を招いて、太平洋戦争への導火線となったのである。朝鮮半島は日本の安全保障の基軸であった所以である。しかし、第二次大戦での敗北によって大陸との断絶を余儀なくされた日本は、新たに日米同盟を結ぶことによって西側社会の一員として迎えられ、「穏やかな戦後」を過ごすことになるのである。

■朝鮮半島の宿痾の源泉は何か

朝鮮半島は地政学的に見て、日本列島、ロシア、中国大陸に囲まれている半島国家である。四方を強大国に囲まれ、有史以来九百二十余回もの侵攻を受けた歴史がある。

日本では戦国時代といえども戦いは武士同士の戦いであり、一般の住民を巻き添えにはしなかった。一方、朝鮮半島はといえば、私自身、朝鮮動乱を戦い抜きながら、首都ソウルが二度にわたり蹂躙されるのを目撃したのであるが、その悲惨さたるや言語に絶するものがあった。この惨禍の中で生き延びるためには、人類普遍の価値観をはじめとするあらゆる人間としての徳性が果たして守り通せるか、難しい話である。

物質的被害は再建が可能であるが、精神的・無形の被害は比較にならないくらい致命的である。大陸における侵略とは、根こそぎ奪い尽くす惨劇なのである。朝鮮半島の遺伝子には、こうしたことが根底にある。

もう一つ、朝鮮半島の宿痾として指摘できるのは、李朝の苛斂誅求（民から租税などを容赦なく厳しく取り立てること）である。朝鮮半島は日本で言う封建時代を経験していない。日本の今日の発展の基礎には、封建制による国づくりの成果が大きい。それに反し、朝鮮半島では中央集権で一貫してきた。結果、不正腐敗が蔓延し、金権万能の社会風潮が猖獗を極めるのであるが、これでは、国民は政府を信用しないし、統治者に対する尊敬の念も湧かない。

そして、やはり儒教の影響が大きい。儒教は中国で生まれたが、それを最も開花させたのは朝鮮半島である。朝鮮半島で国教にまで崇められた儒教は、公に対する「忠誠」よりも父祖に対する「孝」を大前提に掲げる。従って、横軸への協調よりは、縦軸の厳格な位階秩序が強調される。

言い換えれば儒教は、中国大陸での権力維持手段としての経綸だったのである。社会と国家に対する忠より門閥・派閥を優先するため、「公」や「公益」という概念が薄い。人によっては無感覚になる。

さらに、有機的な社会構造についても指摘しておきたい。一九八〇年代以降の韓国の急速な経済発展は、社会に数々の歪みを起こしている。肯定的な変化もある反面、生存本能の過度な発達または格差の発生は劣等感や民心の不安感を増幅させ、社会不安の大きな要因になっている。

このような長年にわたる地政学的な環境と統治体制が、国民と有機的に結びつき、もはや体質的なものになっているのである。

その代表的なものに、集団にのみ込まれ易く、集団ヒステリーを起こしてそれに安住する中でエネルギーを発揮したり、その時々の機会に便乗し衝動的に行動したりする習性、原則より都合の良い自己判断優先主義、自分の未熟さや欠陥を素直に認めず他人に責任転嫁したがる習性、局面によって特定の人格を必要とする多重人格障碍、「従兄が土地を買えば腹が痛む」という猜疑(さいぎ)心、高い地位や学歴、外見など内面より他人の目や評価を重視する風潮などがあげられる。

勿論このような現象は、朝鮮半島だけにあてはまるということではない。しかし、私自身生涯を通じてこの問題に関しては辟易している。また日本に来て高度の秩序と遵法の社会に適応するために、最も努力している点が、このような朝鮮半島の根強い気質的問題の自粛にあるということ自体、朝鮮半島の特性を裏付けるものではなかろうか。

アメリカやブラジルに住む日本人二世、三世は、日本人の血を受け継いでいるが、メンタルはアメリカ人でありブラジル人である。

朝鮮半島の過酷な環境の中で、度重なる戦乱と政変と苛斂誅求に苛まれてきた民衆の中でどれだけの人が志操を保ちえたであろうか。悲観的である。

朝鮮半島での社会正義観、倫理道徳観、公共の精神の頽廃は著しく、恥の文化が衰退したのはとくに惜しまれる。

■今も変わらない日本安全保障への朝鮮半島の重要性

今日の極東情勢を一瞥する時、中国・ロシア、そして朝鮮半島の軍事力は、かつてに比べれば格段に強化され、しかも陸軍と海軍が主力であった往時に比べ、今日ではこれに空軍力と核ミサイルが加わった。非対称的戦力の台頭により、波荒き対馬海峡が日本と分かつ朝鮮半島で過去に起きたことは、もしかすると日本の未来になるかも知れないのである。

ただ、朝鮮半島の南半分である韓国が自由民主主義・市場経済体制下で米韓同盟を維持し、大陸の共産勢力と対峙している現実は日本にとって大きな救いである。隣に共通の政治理念を共有する国がアメリカと同盟を結び、地政学的に有利な位置にいるということは日本としては、安全保障上、政治・経済・外交等あらゆる面において利益を与えるものである。

そのような韓国が辿ってきた道のりたるや、これまた険峻極まる荊の道としか言えない苦難の歴史である。度重なる政変、共産主義工作による反乱、北による赤化統一へ向けての同族相食む悲劇。太平洋戦争終戦後から今日までひっきりなしに続いている北朝鮮の政治謀略、陰謀、スパイ、テロ、拉致、韓国の内部崩壊策動等々朝鮮半島の現状は、一世紀以上前の日本が初めて朝鮮半島に開港を迫った一八七六年の日朝修好条規（江華島条約）当時と何ら変わりのない混沌とした状況である。歴史のアイロニーである。

北朝鮮の核は最早現実である。彼等は絶対手放さない。それればかりか彼等のミサイルの核搭載能力と飛距離は、アメリカまで後一押しである。世界の最貧国に列して国民にトウモロコシさえ碌に食べさせることもままならぬ国が、核を放棄すれば凡ゆる援助を惜しまぬという国際社会の要求に対して、「核は自衛のための権利だ」と言い切っているが、これは嘘である。北朝鮮に領土侵犯を企図する国などあり得ない。では何のための核か？　それは北の揺るぎなき戦略、即ち半島南部の赤化統一にあるのである。

この戦略は金日成生存中はイデオロギーとしての戦略目標であったのだが、今はそれに加えてもう一つの目的が追加されている。それは崩壊する前に韓国を乗っ取り、生き延びようとする戦略である。世界人類史上空前絶後の破廉恥漢のみが企む悪辣極まる蛮行である。

北は早くから日本に対し朝鮮総連を対韓国工作の拠点とする橋頭堡構築を始め、日本の弱体化工作、世論の左傾化と国論の分裂を画策すると共に、多数の日本人を拉致し続けてきたのである。戦後日本の左傾化は甚だしく、国論の分裂状態も久しい。北の政治謀略工作は、日本でも韓国でも成功しているのである。

韓国に対する北朝鮮の赤化統一の野望はすさまじいものがある。金大中、盧武鉉十年間の北の工作は完全な成功を収め、七千億ドルに近い援助、金剛山観光、開城工団等による外資収入源の確保等、国民三百万人が餓死する中、核ミサイル開発の工程は着々と進行していたのである。呆れてものも言えない。

金剛山観光地区には、一九九八年以来韓国の現代グループ、観光公社などが約一千億円を投資しているが、二〇〇八年に閉鎖が決まり、事実上北に没収されている状態である。また、二千億円超の韓国資産が投入された開城工団についても、北は二〇一六年二月に韓国側管理要員の追放を宣言し、韓国の資産を全面凍結している。これも没収の手順である。北は金剛山観光に最早中国観光客を誘致しているという。贓物（ぞうぶつ）と知りながら手を出す中国は、北と一蓮托生なのだ。常識では想像もできない惨状である。六十年以上続いている休戦状態の下、休戦ライン上で数え切れない不法挑発行為を行い、虎視眈々南半部の赤化統一を狙っている北朝鮮に、巨大観光施設、巨大工団を贈るこの滅茶苦茶なメンタリティ、これが朝鮮半島の北と南の現在である。

李明博大統領（当時）は中道実利主義をかざし、種々の不可解な国憲違反行為を公然と行った。二〇一〇年の西海岸軍事境界線上での韓国哨戒艦天安号爆沈事件も、延坪島への砲撃もこのような韓国の現状を見抜いた北のテロ行為の一環に過ぎない。では、なぜこの時期に？

中国では二〇一〇年に上海万博が華々しく開催されたが、北は二〇〇九年のデノミ（通貨呼称単位の変更）の失敗で、経済はどん底、最悪の状態であった。こうした手詰まり状態の中で、金正日の本音は何だったのか？　中国に対しては、援助がなければ破れかぶれの戦争も辞さないという強請であり、アメリカに対しては、俺の話を聞かないと、休戦ライン近くのアメリカ軍兵士の身の安全はないぞという脅しであり、韓国に対しては、李明博大統領が水面下で根回しを続け、待ち焦がれている南北首脳会談に水を差し、相手にもしないという見せしめである。倒錯状態も甚だしい。

北は窮すればする程、暴発する可能性が高く、深刻である。日本の専門家の中では、「今の北朝鮮の現状では挑発はあり得ない」という意見が主流を成しているが、誤りである。天安号爆沈事件がもたらした意味の重大性を感知したアメリカが、ヒラリー・クリントン国務長官（当時）を韓国に送って米韓共同の対策を錬ったことは情勢が緊迫していることを物語っている。

韓国に米軍が駐屯する中（それも国連軍の名の下で）、朝鮮半島が赤化統一されるとすれば日本の安全保障はどうなるのか、一度考えてみるべきである。

明治以来、日本の先達が、西洋列強の簒奪から東洋を守ることこそが日本の安全保障の要と判断し、先の戦争で果たして来た努力と犠牲は何処へ、国のために身を捧げた日本全国陸海空戦没者二百六十万の英霊（うち朝鮮人二万）の御霊は、そして戦災のため、尊い命を失った百万の民間人の怨霊は如何にして鎮魂できるのであろうか？

戦後、朝鮮半島に対する日本の危機意識が稀薄化したこととは裏腹に、中国は金日成の人民軍に朝鮮人系中国軍三個師団三万名を秘密裡に北朝鮮軍に編入させた。南侵一年前の一九四九年六月のことである。そして総兵力十万強で朝鮮戦争に踏み切ったのである。

その後北朝鮮軍が敗退して鴨緑江の河畔まで追いつめられた時、今度は三十万の大軍を義勇軍として投入して、マッカーサーの国連軍に刃向かって、北朝鮮の崩壊と滅亡を阻止した世紀の悪党であり、国際社会の敵である。その中国が今は国連の常任理事国となり、六カ国協議の議長国でもある。泥棒に鍵を任すとは即ちこのことである。今も北朝鮮は中国の援助によってのみ、生き永らえているのだ。

中国の戦略は西洋と異なり、相手の軍事力の直接破壊よりも、政略或いは謀略を駆使しての切り廻しや勢力のバランスを変える戦略に長けており、その伝統は今も変わらない。北清事変（義和団事件）での義和団員の騒動、中国共産党の権謀術数、文化大革命の謀略、天安門事件での虐殺、脱北避難民の強制送還、尖閣諸島領有権問題に関する覇権等々、到底人類普遍の価値観を共有できる相手とは思えないのである。

確かに中国は経済大国になりつつある。しかし、上海はニューヨークを連想する華やかさであるが、足を一歩地方に踏み入れればそこは未開地である。現在の中国における中央権力の翳（かげ）りは明らかであり、地方権力の力量は拡大しつつある。中国という国は常に分裂の可能性を秘めているのである。

その大陸と陸続きの朝鮮半島を巡って、中国、北朝鮮、ロシアといった大陸国家と、日本、韓国、アメリカという海洋国家の構図は百年前と変わっておらず、日本の安全保障における朝鮮半島の重要性はますます増していくばかりである。

■朝鮮半島に関わる日本の安全保障への提言

朝鮮半島有事に沖縄駐屯米軍の戦略的存在は不可欠である。北からの侵略に対処し得る米軍の増援即応戦力は沖縄にしかない。そればかりではない。台湾の防衛にも沖縄の重要性は欠かせない存在である。沖縄は朝鮮半島の安保と台湾防衛上の要である。台湾がもし武力による侵攻を受けた場合、日本と韓国そしてアメリカのシーレーンは一大脅威を受けることになりかねない。日本も韓国も石油エネルギーのほぼ全量を海外に依存しており、両国とも四十パーセントの食料を海外に依存している消費大国であり、その物量は膨大である。そして両国とも経済の主軸は貿易である。両国の膨大な物流にシーレーンの安全確保は必須である。現在この重要極まりない自由陣営のシーレーンはアメリカ海軍と海上自衛隊の共同の努力で守られている。韓国は、二〇一六年済州島に海軍基地を建設している。

また、沖縄は中国が太平洋に進出する際の通路に当たる。中国海軍は海南島の三亜海軍基地を増強し、航空母艦をはじめ、戦略ミサイルを発射する新型潜水艦の配備を進めている。この南西海域の中国勢への牽制は、日米韓のシーレーンの安全確保と相俟って非常に大事なことである。日本としては沖縄米軍の戦略的な配置を最重視し、戦力の集中投下、兵站線の短縮等最高の戦力発揮を可能にする条件を与えるべきである。

次に沖縄の住民に対する国の対応としては、思い切った経済支援策を打ち出すことにより、沖縄を米軍基地として、また、観光産業の拠点として両立発展させるべきである。

ハワイのオアフ島はハワイ諸島の中で三番目の大きさの島であるが、アメリカの太平洋軍はこの島に集中している。島を一周してみればわかるが、至る処が軍事基地でありながらワイキキは世界有数の観光地として栄えている。両立は可能である。

沖縄米軍基地がもたらす沖縄への経済的効果と雇用の効果も無視できないものがある。政府は米軍と協力し、県民による基地管理人員の拡充策も講ずるべきである。米軍としても財源の節約につながる。沖縄の県民には積もり積もった心の宿痾がある。政府は特段の果敢な政策で県民の宿怨に応えなければならない。重ねて強調するが、沖縄を巡る日本の政策の重点は、第一に西南海域での日本の安全保障の戦力発揮のため、米軍基地の整備を最重視することである。沖縄は、日米韓が大陸勢力の脅威と覇権に即応対処するための重要な要石であると同時に、日米韓の生命線でもある。台湾を含む周辺海域の安全保障にとり絶対不可欠の要衝なのである。

二番目に提言したいのは、日韓同盟への努力である。韓国が今まで赤化統一を免れたのは、アメリカの存在があったからである。アメリカとの同盟なしでは、とっくの昔に韓国は北の政治謀略と工作によって消滅していると言っても過言ではない。その点日本も同じである。北は北海道、南は南沙・尖閣諸島を含む西南太平洋海域が平穏を維持しているのはアメリカ第七艦隊があるからである。

北朝鮮は米国に対し、今の休戦状態を平和条約に切り替え、窮極的にはアメリカ軍を撤退させることをもくろんでいる。韓国ではその準備段階として、二〇〇七年に左派政権が米韓連合軍司令部を解体し、それまで米軍が持っていた戦時作戦権を韓国軍に移譲することが決まった。しかし度重なる北の挑発の結果、作戦権の移譲は劇的に二〇一五年に延期され、その後再延期されている。しかし北にしてみれば首尾は上々、事は順調に進んでいるのである。李明博中道標榜政権は二〇一〇年の韓国哨戒艦天安号爆沈事件という韓国の一大危機に直面しながら何ら対策を講じていなかった。不可解である。それどころか毎年八・九パーセント増額してきた国防予算を二〇一〇年度には三・八パーセントに削減している。内部にも敵がいるのである。ちなみに、現在の文在寅政権では、韓国の国防予算は拡大され、日本を凌ぐ勢いとなっている。

当時の李明博大統領は、天安号哨戒艦事件の対応策として、北に対する「断乎たる措置」を宣言していたが、このような宣言は彼が大統領に就任した当初にすべきではなかっただろうか。韓国の国民は十年間の金大中・盧武鉉の国家反逆政権がもたらした危機感から、彼を大統領に選出したが、金大中・盧武鉉の二人がこの世を去った後も、北からの工作と親北・左派の暗躍は猖獗を極めているのであるから、朝鮮半島状況を危うくした李明博の責任は大きい。北朝鮮が米日韓の接近を警戒し、離間工作に力を注いで来たのは、非情な国際政治の現状である。極東の安全保障について視野を広げて見ると、日本と韓国は同病相哀れむ立場に置かれている。過去は水に流し、未来に向けて前進すべきである。しかしながらこの偉業の実現には両方において解決すべき大前提がある。

まず韓国としては、傑出した指導者が待ち望まれる。北朝鮮の六つの強制収容所で生涯を幽閉されている二十万人に及ぶ同胞には目もくれない歴代の韓国の大統領には、到底不可能なことである。そして日本と共に新しい未来に向け前進しようとするマクロな視野を持つ人物でなければならない。

もう一つは、韓国民の日本統治に対する歴史認識の覚醒である。そもそも世界植民史は一四九二年のコロンブスの北米大陸発見に始まり、西洋諸国は血眼になって植民地獲得に乗り出したのである。地球上の植民地の面積は、一五〇〇年代には三十五パーセント、一八七八年では六十七パーセント、一九一四年には八十四パーセントに達したとの統計がある。言い換えれば、人類の歴史は支配し、支配され、植民と被植民の過程の中で発展を遂げてきたのである。

国によっては光もあれば陰もあったであろう。そしてまた国によっては好意的な感情もあれば、怨讐や絶ち切れない長患いもあるだろう。しかしこれが人類史であり、歴史であり、今もそれには変わりがないのが現実なのである。人間社会も同じである。

国と国の間には講和条約や国際法というものがあり、人間関係においても「示談」という知恵がある。一旦話がまとまると双方に未だ不満があっても、もう争いは水に流して、以後は蒸し返すことはしないのである。

種々の複合的な要因があるにせよ、中国と朝鮮半島には日本に対する根強い怨讐が今も絶えないでいる。なぜか？　その要因の一つは中国式政治謀略である。日本の再起を抑え、自国内部向けの政略に利用しつづけているのである。もう一つは共産主義革命のイデオロギーに対する不倶戴天の元凶として、日本の過去の帝国主義侵略を政治謀略と工作戦略に利用している点である。北朝鮮がこの戦略の最たる執行者であり、彼等には虚偽の上に建てられた彼等の建国理念を正当化するためには他に方法がないのである。韓国の場合はこの共産勢力の反日、抗日、侮日謀略の影響を大きく受けている。しかし国民一般の対日感情は悪くなかった。そのような教育を受けて育ったことに主な原因がある。日韓関係は、将来において日韓の指導者のリーダーシップにより、劇的に改善される可能性がある。

日本としても、まず韓国と同じように歴史を直視し、大局的に日本を見ることのできる指導者の出現が大前提である。

もう一つは、日本人自らの自虐史観からの脱却である。色々の要因があり得るが、戦後の占領軍による徹底的な自虐史観の植え付けは、日本を精神的に再起不能の限界まで追いやり、中国、北朝鮮の工作による影響をもろに受けている。左派の言論、学者、知識人等による各種メディアでの日本の歴史、国体を貶める言動には一抹の危機を感じる。

しかしいつの時代にもあり得ることであるが、危機はチャンスである。この危機をチャンスとして捉え、日韓両国の新時代が開かれることを切に願ってやまない。

■スパイ防止法及び国家諜報機関の設置が急務

韓国が自由世界と対峙するようになれば、北朝鮮は飢餓から速やかに脱し起死回生を果たすことができる。

駐韓米軍の存続も覚束なくなる。韓国の親北左派が北と同調している南北連合政府案とは、簡単に言えば、今のままの体制で連合政府を創り、外交・軍事を統合する国家連合を作るという構想である。ならず者監獄テロ国家が韓国の血を吸って、今の体制のまま息を吹き返すのである。朴槿恵大統領（当時）も六・一五南北共同宣言（南北統一への促進）を尊重した。

韓国はもう「万事休す」の寸前まで来ている。奇跡が起こらない限り、核を持った「赤の統一朝鮮」の登場である。悪夢としか言いようがない。

北朝鮮を延命させているのは中国であることはすでに述べたが、中国の北朝鮮認識は一言で言って属国である。中国としては、北朝鮮が崩壊すれば一党独裁中国の問題点が露わになり、各地で不満が噴出し蜂起に繋がりかねない五十余りの少数民族の存在がある。即ち北の安定と北京の安定は連動しているのである。

北が崩壊した場合を想定した、米韓連合軍北上作戦計画がある。もしこれが実現した場合、中国は覇権の消滅を余儀なくされる。覇権を巡る中国の執念には根深い怨讐までが混じり（近世史における列強からの簒奪と屈辱）、北朝鮮の日本人拉致問題、尖閣問題も全て中国の覇権のための一連の活動なのである。尖閣は資源のためではない、覇権のためである。拉致問題未解決の根底にも、北の生き残りをかけた中国の思惑が働いている。

以上をまとめると、韓国と日本は一体何をしているのか、ということに気付く。日本の場合、まず言えるのは情報の欠乏である。日本には中央省庁に六個処の情報関連機関があるにはあるが、縦割りになっていて組織的統合がなされていない。アメリカのCIA、韓国のKCIAのような「中央情報機関」はないに等しい。だから日本は情報の統合、分析、評価機能がスピーディーに作動せず、情報の共有と活用が遅れているのではないか。そのことを私は憂いている。従って、スパイ防止法及び国家諜報機関の設置は日本にとって急務である、と考える。

中国は北朝鮮に四千二百名の工作員を北の崩壊事前防止のために投入しているという情報がある。集団自衛権の容認、憲法改正は遅きに失した感があるが、日本としては議論の余地もない焦眉の緊急課題である。拉致問題や領土紛争問題を解消する唯一の道は日本の再起にある。日本人は覚醒していただきたい。

また、自由民主主義を護り自由陣営の北方の砦として反逆者どもを相手に死闘を続けている韓国の愛国志士達を見殺しにしてはならない。

日本にとって、韓国を失うということが日本の再起を永遠に不可能にする致命的要因になり得るということを悟るべきである。

日本国民朝野の一大奮起を期待して止まない。

■北東アジア戦略的環境の変化

北東アジアの戦略的環境は、米中の覇権競争と軍備競争の加速化、日本と周辺諸国間の領土問題の深刻化、防空識別圏騒動、歴史問題など、排他的民族主義、国家的脅威が増大している。北東アジアで進行している日米中間の覇権競争には、国際政治におけるパワーが影響力を持つという、現実主義の風が強まっているようにも見える。旧ソ連崩壊以降アメリカ一極主導体制が二十一世紀初頭まで続いたが、アメリカの力が傾き始めたのは、二〇〇八年の金融危機からである。

二〇一三年中国がG20にのし上るや、その年の交易規模が四兆ドルを超え世界一に登極した。アメリカは、依然世界の二位から十二位までの国家の国防費の総額に相当する国防費を支出してはいるが、世界権力の構図がアメリカ一極から「アメリカが先導する多極秩序」に転換しているのである。

一方、世界国防費支出上位十カ国のうちその半数は、中国、日本、ロシア、韓国など北東アジアに集中している。また、核を保有する九カ国のうちロシア、中国、北朝鮮の三カ国が北東アジア国家である。そして、世界武器輸出国を見るとアメリカが一位、二位ロシア、五位が中国、武器輸入国としては、中国と韓国が上位に入っている。北東アジアにおける国家間の軍備競争が熾烈さを増しているのである。

そんな中、東アジアでは北から、日本とロシア間の北方領土問題、日韓の竹島問題、中韓の離於島管轄権問題、日中間の尖閣列島問題、中国とＡＳＥＡＮ諸国間の西沙諸島、南沙諸島問題で緊張が高まっている。このような領土問題は西太平洋の重要海路に散在しており、この地域は石油、天然ガス、レアアース、魚類等資源が豊富なだけに戦略的経済的価値は大きい。

二〇一三年十一月、中国の一方的な防空識別圏（ＣＡＤＩＺ）設定表明を受けて、韓国も十二月八日離於島を含む拡張された韓国防空識別圏（ＫＡＩＤＩＺ）を設定して対抗するなど、日中韓の防空識別圏が重なる離於島一帯で衝突が起こる潜在的可能性が排除できなくなっている。

■日本の安全保障

二〇一五年七月、日本が新しい国家安全保障戦略に向け動き始めたことは特に意味深長といえる。戦後日本の抑制的な安保防衛政策の基盤になってきた平和憲法を始めとする各種の制度的措置を修正もしくは変更すると同時に、同盟強化、防衛力増強等一連の安保防衛政策を展開しているからである。安保法案は吉田総理時代の国家安保戦略とは違う方向に向かっており、今日本の国家安保戦略は転換期を迎えているといえる。

日本の新しい国家安保戦略は国内外の安保変動要因に総合的に対応しながら推進されており、これは二十一世紀に入って、変動し始めた国際的パワーバランスのもと、外交安保分野における日本の針路を模索してきた結果である。

そして長期化する経済の低迷状況において二流国家への転落を防ぎ、一流国家を維持するがための対応策であるようにも見える。故に新しい国家安保戦略は安倍政権になってからの特殊な現象ではなく、他の政党に代わったとしても程度の差はあれ、推進方向は大体一致したはずである。

その間の日本の外交安保路線に関しては、即ち日本政府の危険認識が〝北朝鮮〟から〝中国〟に傾斜し始めているというのが一般的な分析である。

日本政府は尖閣列島を巡る中国の軍事的脅威に対し、〝憂慮〟の次元を超え、〝牽制〟もしくは〝対応〟の次元に重点を置き、安保防衛政策を具体化する作業を推進している。中国の無差別的、強圧的、全方位的対日圧迫政策を経験しつつある日本としては当然の選択である。日本は中国の浮上には未だ多くの障害要因があると見ており、アメリカのソフトパワーと軍事力は当分健在であると判断し、既存の覇権国家であるアメリカとの同盟を強化することにしたのである。しかしながら中国の浮上は世界的次元または地域的次元の覇権変動によるものであり、日中関係以上の要因を抱えている。

日米同盟の強化に対し中国は批判の声を高めてはいるが、しかしながら日米同盟が必ずしも中国の成長を妨害する要因にはならないという主張もある。これまで日米同盟は安定的且つ予見可能な安保環境づくりに貢献しており、このような安保環境のもとで、中国は繁栄してきたのである。問題は強大になった影響力を中国が国際基準に沿って行使できるか、国際基準の透明性を確保できるかということである。

アメリカとの軍事同盟は多様な分野にわたって展開されるものと私は見ている。中国の接近阻止・領域拒否戦略（Ａ２／ＡＤ）に対抗しアメリカが準備している空海戦闘（Ａｉｒ　Ｓｅａ　Ｂａｔｔｌｅ）への参加、そして自衛隊に新しく創設される海兵隊とアメリカ軍海兵隊との相互運用と水陸両用共同作戦も可能であろう。グアム、北マリアナ諸島で実施される合同防衛訓練の水準を高め、民間空港を利用する案も検討されている。

これと共に注目される分野は武器共同開発である。日本の武器輸出三原則の廃棄により活気づいたこの分野での協力はアメリカには覇権の維持を、日本には防衛産業の活性化と日米同盟の強化、友好国との協力強化をもたらすであろう。

日本の新たな国家安保戦略は、国家威信に関わる問題でもある。元来、国家安保戦略は外交軍事分野のみならず、あらゆる分野の状況を総合して決定されるものだが、日本の安保戦略改編に対し、国内外から〝日本の再武装〟〝日中の対決〟といった視点で見るのは間違った見方である。

日本は島国である。四方が海に囲まれた山紫水明の麗しい国である。そこには神を敬い、誠実勤倹実直且つ遵法を何よりも尊ぶ、世界が賞賛する国民が住んでいる。世界五大友好国の中には何時も日本が入っており、先進工業国の中で、常に好きな国の上位にランクされている。

しかし残念ながら日本は天然資源に乏しい。年間二億五千万トンもの原油を輸入しなくては生活、産業の全てが成り立たない。経済は貿易に重く頼っており、食料の四十パーセントを外国から輸入している。

日本の安全な海上輸送路と安全な航空路の確保は最重要の責務である。中国の無差別的な覇権に歯止めが掛からない場合、日米は尖閣のみならず朝鮮半島の赤化統一の危険性にも戦略の焦点を当てるべきである。

朝鮮半島の赤化は一瞬にして、台湾の中国への統一に結びつき、日本は完全に孤立する可能性がある。現在のシーレーン、エアスペースも失う恐れがある。日、米、韓三国の相互安全保障体制のさらなる強化を推し進めるべきである。

四章　日韓に横たわる問題の本質

■日本を正当に評価できない韓国

日本を評価する人は世界各国に大勢いる。欧州五カ国（イギリス、ドイツ、フランス、イタリア、ハンガリー）における対日世論調査（二〇一九年　ＩＰＳＯＳインドネシア社）によれば、世界の平和維持や国際秩序の安定に対する日本の積極的な貢献について七十四パーセントが「役に立つと思う」と答えており、インド・太平洋地域において、安全保障及び経済関係における今後重要なパートナーとなる国として、日本が米国（四十四パーセント）に次いで二位（四十パーセント）に選ばれている。

ＡＳＥＡＮ（東南アジア諸国連合）十カ国で行った対日世論調査（二〇一七年　日本外務省）では、日本を「信頼できる」と回答した人の割合は九十一パーセントで、この五十年間最もＡＳＥＡＮの発展に貢献してきた国をＧ20諸国の中から選ぶ質問では、日本が最も高い評価（五十五パーセント）を得ている（中国四十パーセント、アメリカ三十二パーセント）。

世界への貢献と言えば、国連分担金の多い国トップテン（二〇一八年）では、アメリカ（六億七千八百六十万ドル）に次いで日本（二億三千五百三十万ドル）が二位である。

アメリカで行われた国別好感度調査（二〇一九年、米ギャラップ調査）ではカナダ（好感度九十二パーセント）、イギリス（九十一パーセント）、フランス（八十七パーセント）に次いで日本（八十四パーセント）が四位に上がった。

世界で評判の良い国について、国際コンサルティング会社（レピュテーション・インスティテュート）が主要八カ国（G8）の国民を対象に行った国別評判調査（二〇一八年、CountryRepTrak）によれば、GDPが高く、一定以上の認知度がある上位五十五カ国の中、日本は八位だった。上位の大部分を欧米の国が占めている中、アジアでは日本が断トツで高い評価を受けている。

少し前のデータではあるが、国別のブランド評価ランキング（二〇一四―一五、米フューチャーブランド社）で日本が七十五カ国中一位に選ばれている。これは、その国のパフォーマンスを「暮らし」、「価値観」、「ビジネス」、「文化」、「観光」、「生産品」の六つの軸で計った結果である。創造性に関する調査（二〇一二年、米アドビ社）では最もクリエイティブな国に日本を挙げた人が最も多かった（三十六パーセント、次いでアメリカ二十六パーセント）。

韓国は世界で唯一日本を正当に評価できない国である。国全体のどこかがおかしいとしか思えない。私は、「あなた方は目を覚まして正気を取り戻せ」と韓国の同胞に呼びかけている。日本は「学ぶことの多い国」であることを忘れないでほしい。

■徴用工・慰安婦の真実

当時は徴用令によって日本人も台湾人も朝鮮人もみなが国のために動員された。もちろん学生もである。私も中学三年のときに少飛に志願するまでは、相当の日にちを勤労動員で働いた。山の上での高射砲陣地の構築とか、工場施設の補修とか、そういうところに多数の勤労動員が行われたのである。

それと同じように当時、朝鮮半島から相当な人数が日本に来て炭鉱や軍需工場で働いていたが、それらは全て徴用令によって日本国民としての義務を果たしたにすぎないのであって、強制連行されたわけではない。

共産主義者たちが、それを全て「強制連行」とデタラメを主張することで、日本人のみならず世界中の人々が騙されているのだ。

いわゆる従軍慰安婦についても同様である。私は十五歳のときまで朝鮮半島にいて、ときどき「慰安婦募集」の新聞広告を見ていた。それ以外の噂話は一切聞いたことがない。

「強制」だったと騒いでいる韓国人の共産主義者たちに会ったら、私はこう反論する。

「もし君たちの言っていることが本当だったら、当時の朝鮮半島に住んでいた男たち、青年たちはいったい何をしていたのか。同じ民族の女性が、君たちの言っているような境遇にあるのに、どうして黙っていたのか。韓国人が自分たちは卑怯者だったと言っているのと同じではないか」

当時の状況からして、「朝鮮人女性が日本軍に強制連行されて性奴隷として扱われた」というのは、あり得ないことなのである。

ちなみに、現在韓国で慰安婦関連について騒いでいる最大の市民団体である挺対協（現・正義連）は、北朝鮮の意向に沿って活動しており、完全に共産主義者の団体である。あれを政府が取り締まらずに、やり放題させているから、調子に乗って世界各国で騒いで、お金をばら撒いて、日本を貶め続けているのだ。

こうやって南北朝鮮が世界各国で日本を貶め続けているが、中国やロシアも同じようなことを水面下でやっている。さらに最悪なことに、日本のマスコミがそれをさも本当のことのように日本国内で広めているから質（たち）が悪いのだ。そのうえ、日本人の国民性自体がそれを受け入れやすいので、大陸、共産勢力の戦略が、見事に功を奏している状況なのである。これは怖いことであり、どこかで早く断ちきらないといけない。

■在日韓国・朝鮮人に物申す

私は在日韓国・朝鮮人に対して、大変関心を持っている。

というのは外国に住んでいる数多くの朝鮮半島出身の人々の動向を見ると、やはり、その国民性はどこにいっても同じなのだ。例えばアメリカでも一部の在米韓国人が、北朝鮮や中国からお金をもらって「いわゆる従軍慰安婦」をテーマにした反日活動をしているのだ（もちろん全員が全員というわけではないが）。アメリカに移住するくらいなら、世界における「自由の国」の象徴ともいうべき国で、健全な一市民としての生活を送ればいいのに、その中で北朝鮮の工作の手伝いをしているのだから、これには民族性の問題があるのではないかと案じている。

日本の在日韓国・朝鮮人は戦後最大で約六十万人いた。これが日本への帰化や死去などで減っていき、現在は四十七万人強である。これは韓国籍と朝鮮籍を合わせた数字だが、日本は北朝鮮を国家承認していないので、「朝鮮籍」といっても「北朝鮮籍」というわけではない。

ところで、在日韓国・朝鮮人の団体としては、北朝鮮を支持する「在日本朝鮮人総聯合会」（朝鮮総連）と韓国政府から公認されている「在日本大韓民国民団」（民団）という二つの大きな団体がある。

このうち朝鮮総連については、世間一般の認識では「北朝鮮から来た人による団体」と思われがちだが、実際、朝鮮総連はその大部分が現在の韓国の出身者で構成されている。特に済州島など南部から来た人が多いが、彼らの一部は出身地ではなく、思想で北朝鮮を支持し、朝鮮総連に所属し、北朝鮮の意向に沿って、日本国内で日本政府に対する数々の敵対行動をしてきているのだ。

彼らは、歴史的な経緯があるとはいえ、戦後の平和な日本に住んでいるのだから、せめて敵対行為だけは慎むべきではなかろうか。

もちろん、私が付き合っている在日韓国・朝鮮人の中には、誇り高く、日本人よりも日本人らしい、本当に頭が下がる人物もいる。

こういう善良な市民として日本で生きている在日韓国・朝鮮人もいるということを読者の皆様には理解してほしいし、こういう人々に対しては、日本政府としても、より温かい施策があってほしいと伏して願う次第である。

■光州事件

一九八〇年五月十八日、金大中が朴正熙大統領の暗殺を契機に、北朝鮮と組んで韓国政府を転覆する計画を企て、北朝鮮軍六百名に加え、工作要員九百名、合計約千五百名の特殊集団を全羅南道の光州市一円に順次的に投入して、暴動を起こさせたという事件があった。これを韓国では当時「五・一八光州事態」、日本では「光州事件」と呼んでいる。

全斗煥を中心とした新軍部が戒厳令を敷いてこれを鎮圧したのち、首謀者の金大中に対しては、大法院の最高裁で死刑判決が出された。

ところが一九九七年に金泳三が大統領になると、全斗煥大統領の軍事政権をクーデターによる政権奪取だと決めつけ、全斗煥政権に関わった軍人たちを民主化弾圧行為として、最高裁で逆転裁定をしてしまった。死刑判決を受けた金大中は、一転無罪となった。この判決はまさに歴史的な汚点に他ならない。

要約すると、当時、金泳三大統領の政治的立場が窮地に追い込まれ、その局面打開をはかるために、政治的問題を歴史問題にすり替えたのである。為政者によって局面が百八十度転換させられるのは韓国ではよくあることだが、これが国家の正統性をひっくりかえす要因になってしまったのが大きな問題である。

裏では左派を含む共産勢力が巧みにそれを利用し、以来韓国では、「五・一八光州事態」を「光州民主化運動」と言い換え、「民主化運動」というウソの歴史として定着させるという、話にもならない結果を招いた。

韓国の国体がひっくり返って、正当な国家権力によって鎮圧された武装暴動を民主化運動だとでっちあげた結果、北朝鮮の浸透は隠蔽され、加担した韓国内の赤化勢力はみんな民主化功労者になったのである。彼らは功労者として年金に加えて補償金をもらい、その子弟に対しては公職、公務員の採用試験で種類によって五点から十点加算するなどの優遇措置が取られたために、政府内に赤化勢力がどんどん増えていくという弊害が起きた。

二〇一四年十月、池萬元予備役陸軍大佐が率いる「システムクラブ」という愛国団体が、池萬元氏の名義で『五・一八事件分析最終報告書』（未邦訳）を刊行した。

同書は、「一九八〇年の光州市暴動事件は、金大中による反逆事件だとする判決も一九九六年の逆転裁判の結果も両方間違っている。正しい歴史は何か。実は北朝鮮約六百名の特殊軍団が密かに光州に侵入して、現地にある金大中の率いる左派政権と結託して、韓国の政府を転覆しようと企んだ暴動であった」と結論付けている。

池氏はこの報告書を作成するのに、十二年もの研究期間を費やしている。

その後二〇一五年五月には、当時の光州市で撮影した写真をシステムクラブの映像分析専門チームによって検証し、写真集『五・一八事件映像告発』（未邦訳）を刊行した。この写真集では、光州事件発生当時現場にいた暴徒の中の六百六十一名の顔が、北朝鮮から来た人物であることを突き止めた。またその大部分はいまや平壌の権力中枢にいる将軍、政府要職の幹部、社会各方面のエリートの顔と一致するということがわかった。

池萬元氏

現在、韓国にいる北朝鮮からの脱北者は二万五千名あまりだが、その中には、この写真の顔と一致する政府要職者五十名も含まれている。彼らは偽装脱北して、韓国内で法曹、大学教授、コメンテーターなど、社会的に相当高い地位についている。池氏の主張によれば、これは間違いなく「トロイの木馬」である。日本にもトロイの木馬が相当いると私は見ている（テレビや新聞の論説等を見ると）。

当初、池氏は報告書を発表して、時の朴槿恵政権によって弾圧された。このため、この件に関わった人々は口を噤んでしまった。だから、今、韓国の新聞、放送などは、一切この件に対して言及していない。

池氏に至っては、光州の関連団体から告訴され、審理が行われた裁判所の外で集団暴行を受けたにもかかわらず加害者が不起訴になるという不可解な処分がなされ、さらには、ソウル在住の池氏が検察によって光州裁判所に移送され、無実の罪を着せられるというひどい目に遭わされている。池氏によると、嫌がらせのような二百件にも及ぶ訴訟案件を起こされ、現在も二十件ほどが進行中とのことである。

ところで、この六百六十一名の写真だが、もし韓国人であるならば「写真に写っているのは、三十五年前の自分である」と名乗り出る人がいるはずである。実際光州市長や「五・一八記念財団」といったいわゆる「光州派」の面々が、光州を含む全羅道全域で名乗り出るよう工作して歩き回っていたそうだが、それでも十四名しか名乗り出なかったという。私も池氏同様、この十四人は捏造されたものと見ているが、もし仮にこの十四人が本物だったとしても、それ以外の大多数が光州の人間ではない（＝北の人間である）証拠ではないのか。

ともかく、池氏の主張や写真分析は作り話ではないようだ。

韓国の二〇〇〇年代の野党の主流勢力は、金泳三大統領が一九九七年に民主化運動として捏造した光州事件の運動勢力の流れを汲んでいる。

北朝鮮が盛んに喧伝している核ミサイルはあくまでもハッタリである。彼らの唯一の目的は韓国を乗っ取り、赤化統一することである。その工作が今韓国政府の中枢にまで進行しているというわけである。文在寅政権はいうまでもなく北による「トロイの木馬」なので、早く政権を打倒しないと、北の目論見通りになってしまう。

この「光州事件」については、もうすでに韓国では八回も映画化されているが、どの作品もいかにも民衆の蜂起のような印象をもたれる作りになっている。こんなものに騙されてはいけない。

■『元韓国陸軍大佐の反日への最後通告』

前項で紹介した池萬元氏には、紹介した『五・一八事件分析最終報告書』『五・一八事件映像告発』のほかにも数多くの著書がある。その中で最も新しいのが二〇一九年に韓国で刊行された『朝鮮と日本』という本である。

韓国内ではタブーともいえる「李氏朝鮮時代の実際」「日本統治下の真実」を、欧米人や朝鮮人自身の証言を引用して詳述するだけでなく、「徴用工・慰安婦問題の真実」「システム面における日本の再評価」、そしていかに北朝鮮及び赤化勢力によって歴史が歪曲され、日韓関係が悪化させられているかを強い筆致で喝破している。

もちろん、池氏のライフワークともいえる「光州事件の検証」についても、一章を割き、『五・一八事件分析最終報告書』『五・一八事件映像告発』をはじめとする光州事件関連書籍のダイジェストのような内容になっているとともに、最新の情報にアップデートしている。

池氏は前述の通り、韓国内では数少ない「国士」であり、私の盟友でもあった。私は常日頃から「私ほどの愛国者はいない」と自負しているが、池氏もそれに匹敵するほどの愛国者であることは私が保証する。

その池氏が「私の魂を込めて書いた」というこの本を、私はなんとか日本の読者に読んででもらいたいと考えた。

本来であれば私自身が監訳を担当するべきで、その予定ではあったが、諸事情により断念し、翻訳は私の次女である崔鶴山を中心とした翻訳チームが担当し、解説は元産経新聞政治部編集委員の佐伯浩明氏に依頼した。

こうして、翌二〇二〇年四月に『元韓国陸軍大佐の反日への最後通告』（ハート出版）というタイトルで、日本で刊行することができた。

おかげさまで同書はコロナ禍においても順調に版を重ねることが出来、現在は六刷（二〇二一年八月現在）を数える。日本の読者の皆様に、池氏の論考を受け入れていただけたことを心より嬉しく思う。

■韓国における兵役逃れとモラルの低下

韓国では十八歳以上の男性に兵役が義務づけられており、原則として二十八歳までに入隊しなければならない。文在寅政権で期間が短縮されたものの、最低一年半以上、陸海空軍および海兵隊のいずれかで兵役を務めることになる。

ただし、身体検査で不適格と診断された者や海外に長期滞在した者（いわゆる在日韓国人含む)、スポーツや芸術、学問その他の分野で国家に多大な貢献をした者などは兵役を免除される。問題なのは、そういった細かい免除規定を悪用して兵役逃れをする者がいるということである。しかも、それが今の韓国の政権の中枢にいる人間の子息にも少なからずいるという話を聞く。国民の見本となるべき立場の人間が、そういうずる賢い手を使って悪びれずのうのうと生きていることが嘆かわしい。

日本に来て私が感じるのは、遵法のみならず社会的ルールやマナーが日本人の体に染みこんでいることである。それを命にかえても守るのが日本人の常識である。これは誇ってもいいんじゃないかと思う。

日本人の考え方がよくわかるエピソードがある。終戦直前に朝鮮総督だったのは阿部信行陸軍大将だが、彼は朝鮮総督になる前は日本の首相も務めたほどの人物である。彼の息子、阿部信弘は特攻で戦死しているのだが、この話は韓国人の私からすれば、非常に驚くべきことである。日本人にとってみれば、いくら父親が偉くても息子が前線に行くというのは当たり前のことなのだが、中国や韓国ではあり得ない。一般人においても、日本人のコンプライアンスがいかに優れているかの証左である。

同じように、朝鮮戦争の際、多くのアメリカの司令官、将軍たちの息子が大勢戦死している。にもかかわらず、朝鮮半島出身の高官や将軍たちの息子の中に、そのように命を捨てたり大きな犠牲を払ったという例を私は聞いたことがない。

一方、中国や朝鮮半島の連中には、法を守れば損だという認識があり、どうしても「正直者が馬鹿を見る」わけである。正義感とか、倫理観がほとんど頽廃している状況である。そういう点において、日本とは天と地の差がある。

私は一九五四年にアメリカに初めて留学（空軍将校教育）に行き、そこで運転免許を取得した。それ以来韓国で私ほど国際標準の運転をする人はいないのでは、と自負しつつ真面目な運転をしてきたのだが、そのせいで何度も追突された経験がある。

信号が赤に変わるとき、国際標準なら手前で止まるのが当然だが、韓国の常識では赤になった後でも四～五台、時間で計れば五秒から六秒くらいは通り抜けてしまう。だから止まった瞬間、後ろから追突されてしまうことになる。

法を守った私がぶつけられる。理不尽なことに日々遭遇するものである。

■日本が朝鮮にもたらしたもの

戦後の世界秩序はいわば、勝者の世界秩序に過ぎない。「日本がアジアを侵略した」「日本が侵略戦争を起こした」といった歴史観が世界中で定着しているが、地球人類史の真の世界秩序は他にある。

それは他ならぬ日本が戦ったおかげで、そして日本人の尊い犠牲のおかげで、白人支配の世界秩序が覆され、今のようなアジア太平洋時代が到来したという捉え方であり、一時地球表面の八十四パーセントにまで及んだ欧米列強による植民地支配が終わりを告げ、平等な人類社会が到来したという歴史上の偉業を日本が成し遂げたという認識である。

さらに視点をマクロからミクロに移してみれば、「韓国併合は日本による強制であった」とか「日本による朝鮮侵略だった」という、韓国人だけでなく、日本人の大多数も信じていることの歴史観も同様である。これも一九一〇年代当時の世界秩序に照らし合わせてみれば、日本は中国大陸に利権をもつ世界の列強、英・露・米・独・仏の了解と承認を得て、合法的に併合したものである。

日清戦争で日本が勝ち得た遼東半島の利権でさえ、独仏露の三国干渉によって日本は手放さざるを得なかったというその史実だけみても、当時の日本の力のみで欧米列強をはねつけて朝鮮半島を強制的に併合することなど、到底できなかったことがわかる。

一九〇四年、アメリカのセオドア・ルーズベルト大統領（当時）は「朝鮮半島は自治能力がない。しかし、今のところアメリカが朝鮮半島にまで手を出すことはできないから日本が管理してくれ。日本に任せる」という意向を示し、アメリカがフィリピンからスペインを追い出した際、日本に朝鮮半島の管理を任せ、アメリカはフィリピンを管理するという密約を交わした。これが桂・タフト協定である。

一九〇〇年に北京で起きた北清事変（義和団事件）の際に、日本外交と日本軍が実力を発揮したことにより、欧米列強の日本に対する見方が変わってきていたのは間違いない。というのも、列強はみな遠くから来ているせいで、兵力の配備が十分でなかったのに対し、日本は距離的に近いから、増兵が容易だったというアドバンテージもあった。加えて日本軍は厳正な軍規と精強さを持っていた。

当時は日清戦争で日本が勝った直後だったため、軍自体の練度も相当整っていたこともあり、「これは使い物になる」と列強の信用を得た日本は、一躍列強の仲間入りをしたということである。

その頃の朝鮮半島の実状について、真摯な研究者が皆口を揃えて言うのは、「朝鮮には内部から己を改革する能力がなかった。外部から改革しなければならなかった」といういわゆる停滞性論である。

これに対し「内在的発展論」があるのも事実である。これは朝鮮に本来内在する自律的、内在的な発展の可能性を植民地化が潰したと考える観点である。しかし、その内在的な可能性を勘案しても、韓国が今のような発展を成し遂げるには半世紀以上、いやもっとかかったであろう。また、あの時代の国際情勢下では、日本でなくとも、中国やロシア、その他欧米列強の植民地になっていたはずだ。

当時の韓国人をフォローするなら、「知性と能力のない民族ではなかった」「能力はあるが能力を発揮する環境と機会が与えられなかった」「苛斂誅求や不毛な闘争が長く続いた結果、国民の意思がみなもぎ取られて、さまよっていた状態」ということである（アレイン・アイルランド著『New Korea』一九二六年刊参照）。

当時の李王朝は完全に腐敗していたが、その国王にものすごく権限が集中していたというのだから、国民の生活の苦しさは察するに余りある。よく韓流歴史ドラマに出てくる李氏朝鮮時代の描写は、基本的に「ファンタジー」と考えていい。

それに比べて、日本の朝鮮統治は誠実であった。さらに、日本の統治は政府行政の手腕のみならず、文化、教育、経済面においても優れていた。

日本が朝鮮にもたらしてくれたものは枚挙に暇がないが、まず挙げたいのが教育制度と内容の整備である。朝鮮総督府の資料によれば、一九〇六年の全国の小学校は約四十校だったが、一九一七年には公立普通学校（小学校）だけでも約四百校、一九四二年には約三千校を超えていた。学生数も、同じく公立普通学校の場合、一九一一年に約二万名程度だったのが、一九四二年には百八十万名に増えている。

教育の近代化と合わせて次に挙げたいのは「語彙」である。福沢諭吉は西洋の文物の受容に生涯をささげた人だが、そのために数多くの西洋の言葉を漢字の単語に変換した。現在のハングルの単語は、福沢諭吉が生み出した「和製漢語」を単に写したに過ぎない。そもそもハングル自体、中国に媚びへつらうために李氏朝鮮によって弾圧されてきた文字を、日本統治時代に日本が掘り出し、普及させたのだ。たとえ植民地統治政策の一環だったとしても、この事実を歪曲し、「日本統治下で朝鮮語は弾圧された」とする韓国の学校教育はまさに被害妄想である。

では日本が和製漢語とハングルを普及させるまでは、朝鮮人はどんな言葉を使っていたのかと言えば、「漢字ハングル混じり文」もあったが、主流は漢文だった。では、漢字を知らない人はどうだったのかというと、文盲だったのだ。李氏朝鮮時代の識字率は十パーセント未満ともいわれる。

そんな百年前に比べれば、今の韓国の教育水準は天と地の差である。今では多くの人々が世界各国の一流大学に留学するほどになった。二〇一六年、海外に留学中の韓国人は約二十三万名（海外日本人留学生数は約六万名）、大学進学率は約七十パーセント（二〇一六年）にのぼる。韓国の教育熱というのは、現在日本を凌いで世界一、二を争うほど高いと言われているが、にもかかわらず、韓国人の教養、精神状態は、今なお排他的ナショナリズムに閉ざされ、非理性的な反日に取り憑かれている。その裏にあるものは何であろうか。独立以来「反日」はずっと国内政治に利用され、近年は左派勢力によってバージョンアップしているのである。

国土のインフラを大幅に向上させるなど、日本は多くのものを朝鮮にもたらしてくれたが、なんといっても私が一番に強調したいのは無形の要素、日本の精神要素である。それは実体がないので表現のしようがないのだが、日本の精神要素は間違いなく朝鮮半島にゆきわたったと私は考えている。その典型的な一つの例が私である。私のような人的インフラが、多方面にわたりその後の韓国の発展の基盤となったのである。

■日本人は悪いことをしていない

当時の朝鮮半島の雰囲気というのは、我々朝鮮半島の人々は日本の統治をありのままに受け入れて、李氏朝鮮の統治下では経験することができなかった新しい社会秩序の中で、これが我々の母国だという思いで暮らしていたのではなかろうか。

今になって反日とか親日とかいろんなことが言われているが、当時、ごく一部の少数の人々が国内外で立派に愛国活動をしたことは事実だが、国内、朝鮮半島三千万の国民は、日本の統治を甘んじて受け入れていたのだ。それが一朝にして国がひっくり返って大韓民国に生まれ変わった途端、反日だった少数の人を除く三千万国民を親日、売国奴呼ばわりして良いものだろうか。

先の戦争においては、刀折れ矢尽きてしまったが、本当に日本はよく戦ったと思う。戦争には負けたが、今のアジアは、日本がいなかったらアフリカのように大陸全体が欧米列強に侵略されて、植民地化されていたに違いない。白人優位の世界をひっくり返した日本の犠牲と努力のおかげで人類普遍の価値が共有できる社会を、いま満喫していると信じるものである。

近代史を振り返ってみると、一八九四年に日清戦争、一九〇〇年に義和団事件、一九〇四年に日露戦争、そして一九一四年に第一次世界大戦、一九一八年にはシベリア出兵があった。シベリア出兵は日本ではあまり知られていないことだが、日本は一番規模が大きい七万人もの兵力を出兵して、三千人もの戦死者を出したのである。

この極東地域における日本の活動は、何を意味するのか。まず列強は、日本の極東での地理的条件から日本の軍事力を利用したのである。

それから、日本は優秀であった。義和団事件や、日清戦争、日露戦争などで世界をあっと言わしめた。それまでの世界の固定観念を覆し、日本の優秀性が世界に認められるようになったのだ。

当時の日本としては、当然の代償として権益を獲得したのであって、これを侵略とはいえない。東洋を守り通し、西洋列強からの簒奪を防いだ、日本の正当な行為だった。

こういう躍進的な活動を通じて、当時の日本は一躍列強の中に加わり、国際的な地位もいやがうえにも高まった。そんな時期に、中国の迷走によって、ロシアの勢力が拡張し、じわりじわりと中国、朝鮮半島を狙っていることに危機感を持った欧米列強は、これを牽制しアジアにおける自らの利権を守るために、日本に朝鮮半島の管理を任せたというのが、韓国併合に至る過程であった。

当時の韓国の反中親日勢力が韓国併合を後押ししたといえる状況だった。

その後一九三一年に満洲事変、翌年の一九三二年に満洲国建国があり、米国と英国は自分たちの権益が侵されることに脅威を感じて、日本を封じ込める方向に転換しはじめた。これが、日本に対する圧迫、牽制の始まりである。

太平洋戦争の要因に関してさまざまな説があるが、マッカーサーが解任されてアメリカに帰った一九五一年にアメリカ議会上院の軍事外交委員会で行った証言がある。内容は「日本の太平洋戦争介入は自衛が主たる目的であった」というものである。

一九四六年に、フーバー元大統領（在任一九二九年〜一九三三年）が、トルーマン大統領の依頼で、マッカーサー司令部を訪ねて、マッカーサーと会談した。その回顧録が出版され、二〇一七年には日本語版（『裏切られた自由』草思社）も出版されたが、この中には、「太平洋戦争はフランクリン・ルーズベルトが日本を引きずり込んだ謀略的な戦争ではなかったか」という、フーバー元大統領の質問に対して、マッカーサーが「そうです」と肯定的な表現を使ったことが書かれている。

その他のいろいろな資料を総合してみても、日本の軍部が独走し無茶な戦争を起こしたというようなことは、歴史に照らして立証できないのではないか。

太平洋戦争が始まった昭和十六年、日本の石油備蓄量はわずか八百五十万トンだった。翌昭和十七年の一年間に使った石油の量は七百五十万トンである。つまり百万トンしか余裕がなかったのだ。

昭和二十年に、日本に残された石油はたった三十六万トンだった。本土決戦が叫ばれていたものの、実際は本土決戦ができるような状態ではなかったのだ。たった三十六万トンではどうにもならない。今の日本の自衛隊の一年間の石油消費量だけでも、百五十万トンである。

北朝鮮は、二〇一七年の国連による対北朝鮮制裁によって、年間の石油精製品輸入量が五十万バレル（約八万トン）に制限された。制限前は年間百五十万トンから二百万トンと推測される。実際のところ、北朝鮮の軍用石油は二十万〜三十万トンしか使えないのである。これでは飛行機も飛べないし、訓練もできない、戦車も動けない状態に陥っている。だからこの石油の欠乏というのは、致命的な戦略的要素といえるのである。

■戦勝国史観から脱却せよ

戦後七十年以上が経過した今もなお、戦勝国が主張している史観、これに日本がはまり、その中で今身動きができない状態が続いている。

これに加えて、大陸の共産勢力（中国共産党、ロシア、北朝鮮、それに最近おかしくなっている韓国）が一緒になって日本の再起を抑えているのである。

一九五一年のサンフランシスコ条約であらゆることが解決した。北方領土、尖閣、竹島は本来であれば日本への帰属が明白であるにもかかわらず、同盟国であるアメリカは知らん顔で、尖閣、北方領土、竹島について沈黙している（その場しのぎのポーズをとることはあるが）。これが国際社会、国際政治の現実である。

そもそも、戦勝国は今も日本の再起を非常に恐れている。

当時もそうだったが、日本のこの大東亜共栄圏構想は、彼らにとって大きな圧力になった。

そもそもは西洋列強による簒奪を日本が阻止しようとしたことに対して彼らが抵抗したのが先の世界大戦の大きな流れの一つであり、結果としてアジアで植民地化された多くの国が独立を勝ち得たのは、否めない事実である。大東亜共栄圏の構想に対する警戒は今も続いており、これから先も日本の再起を阻む大きな壁として立ちはだかっているということを忘れてはならない。

それから、共産勢力の日本に対する謀略工作にも気を緩めてはいけない。もし中国大陸に蒋介石の国民政府がそのまま存続していたなら、今のような状態にはなっていないはずだが、不幸にも中国大陸が共産勢力に乗っ取られている今日、これはもう避けられないことである。

これに関連して、歴史的過程を通して見ると、アメリカの極東政策が失敗し続けているということを指摘しないわけにはいかない。

一九四九年には蒋介石が台湾に逃げ込み、中国共産党が中国大陸を席巻した。朝鮮戦争が一九五〇年に起きたが、これもアメリカの政策の間違いである。というのは一九五〇年一月に、当時のアチソン国務長官が極東防衛線を朝鮮半島の下に下げて、朝鮮半島や台湾などを防衛範囲から除外するという内容の「アチソン・ライン」を宣言してしまったために、北朝鮮の金日成がモスクワや北京に行って、スターリンや毛沢東と相談した結果、韓国に侵攻をかけた、というのが朝鮮動乱のそもそもの始まりだった。それからまた長年続いたベトナムへのアメリカの介入、これは一九七三年一月にパリ和平協定が結ばれ、その結果、二年後の一九七五年にベトナムは完全に赤化統一されて今に至っているのである。

アメリカをはじめとする戦勝国によって植え付けられた日本の自虐史観、共産勢力による日本への圧迫、これに染まる日本人自身の洗脳。これらの問題にどう立ち向かうべきか、皆様が背負っていく課題である。

■権威と権力の分離――世界に冠たる日本の特色

朝鮮動乱後の半島の状況は、凄惨な殺し合いの末、政治的な大混乱を経て、ようやく韓国は国民の持ち前の勤勉性とハングリー精神で急速な経済成長を遂げ、今やインターネットの普及率や通信速度などでIT先進国と称されているが、それ相応の精神文化は追いついていない状況である。人情味があり、勤勉で忍耐強く、個人としての資質は他の国に劣らないが、成熟した市民としての資質はまだ十分に備わってはいない。

これに対して、日本人は個人としても国民としても素晴らしい資質を持っている。礼儀正しさ、義理堅さ、自己規律が厳しい、職業にあまり貴賤がない、それから、女性のしとやかさ、和を大切にする調和性、上質へのこだわり、匠の精神、美意識の繊細さ……これらの点は、海外で広く受け入れられている状況をみれば一目瞭然である。私が生活の拠点を日本に移して十年以上が経過したが、住めば住むほど畏敬の念が募るばかりである。日本がこのように立派な状態を維持している背景として、権力と権威のバランスが絶妙であることを指摘したい。

私見だが、人間が権力を維持していいのは、アメリカの大統領制のように四年、長くて二度の八年、これが限界だと思う。それ以上、十年以上も独裁すれば、いわば自己中毒を起こす。韓国と北朝鮮を例にとると、戦後以降、李承晩十二年、朴正熙大統領十八年、金日成四十五年、金正日十二年と、十年以上の長期にわたって権力が続いている。しかも、韓国の大統領制や北朝鮮の独裁は、権力と権威が一極集中しているのだから、そのような政治形態のトップはだいたい何らかの形でおかしくなっているとしか思えないのだ。韓国や北朝鮮はもちろんのこと、アメリカだってフランクリン・ルーズベルトのように十年以上やったらおかしくなる。中国はいわずもがなである。権力に酔い潰れているという表現がふさわしい。

ところが、日本の場合は、古代から今まで、「天皇」という存在のおかげで、権威と権力が絶妙のバランスで住み分けられてきた。権威は天皇に、権力は時の為政者に。これこそ、世界にも比類のない日本の特色ではないだろうか。

■世界は日本をどう見ているか

私は一外国人の立場で日本及び日本人を高く評価する者だが、他にもこのような外国人は数多くいることを、日本の皆様にはぜひ知ってもらいたい。

ペリーが来航したのはもう古い話だが、このときに既に彼らは日本に関する事前情報を持っていたらしい。私がここで興味深く思ったのは、ペリーが出航前に聞いたという以下の注意である。

「日本人を我々より劣等な国民だと考えるのは間違いだ」

セオドア・ルーズベルトは二十世紀初頭に就任した第二十六代アメリカ大統領で、日本側に立って日露戦争の終戦条約であるポーツマス条約を取りまとめたことで有名である。彼は親日派としても知られ、新渡戸稲造の『武士道』（Bushido: Soul of Japan）を読んで感銘を受け、『忠臣蔵』は何冊も買い、知人に配ったほどである。ただ、日露戦争後は「対日脅威論」に傾倒するようになり、後に大統領になる血縁のフランクリン・ルーズベルトは、この上ない反日主義者だったというのは皮肉であるが。

もう一人は、ヘレン・ミアーズ（Helen Mears）という人物である。彼女は、終戦後ＧＨＱに労働問題の諮問委員として招かれたが、帰国後、一九四八年に『Mirror for Americans: JAPAN』という本を出版した。一部を引用・要約する。

日本は、もとは軍国主義ではなかった。

日本は近代化を成し遂げる過程で欧米先進国に倣い、

西洋文明を映す鏡を掲げて、帝国主義大国に変貌した。（中略）日本の視点からいうなら、この戦争はアジア民族がアジアの支配勢力として台頭するのを阻止し、米英企業のために日本の貿易競争力を圧殺しようとする米英の政策が引き起こしたものだった。

戦後になって韓国併合や満洲事変も含め、道義的責任を追及することは偽善であり、日本の軍事行動を裁けるほど、アメリカをはじめ連合国は潔白でも公正でもない。

一般に行われている日本非難は道義と人道を基盤にしているが、外国の侵略を押し止めるのは道義ではなく、国際法である。

日本が犯した罪は実際には何であったか、私たちが何で日本を罰しているのか、私たちがどういう根拠で罰せられるより罰する立場にいるのか。日本の本当の罪は、西洋文明の教えを守らなかったことではなく、よく守ったことなのだ。それがよくわかっていたアジアの人々は、日本の進歩を非難と羨望の目で見ていた。

マッカーサーはこの本の邦訳版の刊行を認めなかった。理由の一つはこの著書が、「日本が朝鮮半島を奴隷化したというが、それが事実ならば、イギリスは主犯であり、アメリカは従犯ではないか」と主張するだけではなく、「満洲の独立に対してもそうだ。西洋列強がいままでいろんなところで植民地をつくったのは、法的擬制（リーガルフィクション）であり、建前は合法を装いながら、中身は強奪に等しい強制的な侵略をしたということになるのではないか」といった内容を書いていたからだと推測する。

マッカーサーの帰国後、一九五三年にようやく原百代訳『アメリカの反省』（文藝春秋新社）という邦題で刊行されたものの、ほとんど話題にならず歴史に埋もれてしまった。

そこからだいぶ後の一九九五年に、伊藤延司訳『アメリカの鏡・日本』（アイネックス）が出版されると大きな反響を呼び、ようやく日の目を見ることになった。現在は『アメリカの鏡・日本　完訳版』（二〇一五年・角川ソフィア文庫）が刊行されている。

ヘレン・ミアーズの論は私の主張とほとんど変わらない。歴史観だけでなく、日本の文化の面に対しても、以下のように評している。

日本人は文明を発展させるにあたって、土地も富も少ない現実を受け入れ、集団化に慣れ、物がなくても耐え、持てるものを最大限に利用することによって現実に適応してきた。（中略）物質欲を捨て、しきりに順応し、家族、村、集団に従属することによって住居空間の狭さを乗り越えた。個人による自己主義の欠落を、父母に対する孝心、先祖崇拝、儀式に徹底した形式によって、品位あるものに高めたのである。

すばらしい表現で、日頃私が日本に対して感じていることとまったく同じである。私はいつもこの本を枕もとに置いて読み返しているくらいだ。

ついついアメリカ人の話ばかりになってしまったが、もちろん日本を高く評価しているのは他にも多く、様々な国際比較の調査を見ても日本はポジティブな評価においてだいたい上位の常連である。

また、日本に来る外国人は、社会基盤設備の安全・安心、街の通りの清潔さ、公共の場所や施設の快適さ、きれいな空気、治安の良さ、人々の秩序意識を高く評価しており、常にその状態が保たれていることに驚きを隠せない。私も日々の生活の中で、日本人の知恵と技術が生み出した有形無形のものに感銘を覚えると共に、それを管理運営する努力、そして、何よりも、使う側、一般市民の高いモラルとマナーに敬服するばかりである。これこそこの世の中のたった一つの「おとぎの国」であり、まさに「奇跡の国」と呼ぶにふさわしい。

■日本の地政学的環境と生存戦略

日本は世界に誇れる伝統文化や国民性を持っている。しかしながら、地政学的に見ると、日本は大変厳しい環境に置かれている。

まず、日本は島国であり、海洋国家である。国土の面積は決して大きくはないが、排他的経済水域（ＥＥＺ）は、世界第八位である（二〇一六年データより）。それだけに、特に海と空の戦力を十分に確保しなければ日本の生存は保たれない、ということが言える。

特に将来の戦争の形態を予想するとき、超地域性の戦争や、超機能性、超多重領域の戦争が展開する可能性がある以上、これに対する充分な生存戦略を講じておく必要がある。

また、日本には資源が少ないという問題もある。食料自給率は四十パーセント程度、石油はほぼ百パーセントが海外依存。ＧＤＰのうち二十五パーセントが貿易によるものである。

つまり、シーレーン、エアレーンに対する安全確保が重要であり、日米同盟の堅守は当然のこととして、海を経て接している国々、その中でも台湾、韓国、東南アジア諸国等と緊密な同盟乃至は協力、協調が絶対必要である。

■日韓は今後いかにあるべきか

日韓はこれから先いかにあるべきか。

今は日米同盟、米韓同盟というアメリカを挟んだ同盟関係があるが、日本と韓国の間には直接同盟関係はない。しかし、私はこれ自体がおかしいと考えている。

私は、日本無しでは韓国は三十八度線を維持できないと主張する者である。

朝鮮戦争のとき、ソウルが陥落すると、北朝鮮軍は瞬く間に南下し、韓国軍は釜山橋頭堡まで追い詰められてしまった。そこで、米軍は日本の小松飛行場や、板付飛行場（現在の福岡空港）から朝鮮半島へ飛行機を飛ばして、砲弾も飛行機でみな朝鮮半島に運んで、戦争を戦いぬいた。戦況逆転のきっかけになった仁川上陸も、日本で全部準備したおかげで上陸できた。

日韓同盟締結を目指すのであれば、韓国の改心はもちろんだが、日本の再起も必要である。

そのためには、まず世界に向けては、これまでの「言われっぱなし」「やられっぱなし」の受け身外交ではなく、日本としての確乎たる立場を強く主張するべきではなかろうか。歴史問題に対しても、より積極的に世界に発言する姿勢が必要である。

東洋に向けては、ＮＡＴＯのようなアジア自由共同体構想に、日本の指導力を発揮してほしい。

私はよそ者の立場であり甚だ僭越ではあるが、国内に向けては憲法改正、国軍再編、安保法制についてより議論を深めてほしいと思う。個人的に特に強調したいのは、自前の対外情報力を持つことである。今のような情報戦の時代に、アメリカや韓国にもある「ＣＩＡ（中央情報局）」がないのは大問題である。日本版「ＣＩＡ」の創設が待たれる所以である。

五章　赤化韓国に未来はない

■現在の韓国は忘恩の反逆者

現在の韓国は北朝鮮と中国により赤化されている。衝撃的な表現だが、これは事実である。しかし、これが全てを言い表しているのではない。こういう表現をすると、あたかも北朝鮮と中国によって韓国がやられっぱなしになっているように聞こえるが、そういうことではなく、韓国自身も間違っているという実態がある。

現在の韓国は、アメリカに守られていながら、北朝鮮寄りのことをやっている。裏から北朝鮮を助けている。これは私に言わせれば「国家反逆」である。忘恩の上に国家反逆。

朴正熙政権以降三代にわたって三十二年続いた軍事政権が崩壊し、金泳三政権樹立によって韓国が民主化されたといわれるのが一九九三年である。その前の盧泰愚大統領は一九八七年に「民主化宣言」をして大統領に就任したが、彼自身軍人出身なので金泳三以降の政権とは一線を画す。ともかく、金泳三政権以降を文民政権＝民主化と称することが多いが、私に言わせればこれは民主化でもなんでもなく、単なる「赤化政権」に過ぎない。特に、金泳三、金大中、盧武鉉という三人の大統領が行った政策はまさに「国家反逆」であり、利敵行為である。

一例をあげると、金大中政権の時、朴智元という後の大統領秘書室長が、二〇〇〇年八月に韓国のメディア四十六社の社長を引き連れて平壌に行き、北朝鮮の言論の代表たちと会談し、「反北反金正日不報道」「北による過去のあらゆる挑発行為やテロを報道しない」などという約定を結んで来た。これはまさに北による韓国内の言論統制に他ならない。同じく金大中政権では、これまでの公安要員を大挙解雇し、共産主義者たちと入れ替えたという。

また金大中政権、それに続く盧武鉉政権時には、共産主義者に対する特別赦免が行われ、釈放された北朝鮮のスパイが、復権して国会議員になったのである。当時の国会議員三百名のうち、三十名ほどが復権した議員と考えられている。これは恐ろしいことである。

あまりにも赤化が鮮明だった金大中政権、盧武鉉政権のカウンターとして、保守系の大統領として期待された李明博政権も、失政を繰り返したのちにレームダック化し、結局反日に舵を切り、二〇一二年八月、竹島上陸という愚行を犯す。

そこで、歴然たる反共の闘士であり、韓国経済発展の最大の功労者である朴正熙元大統領の実の娘である朴槿恵が、国体の危機に直面して立ち上がった。年配層を中心とする愛国国民に支えられ、真っ当な政権が誕生すると大きな期待をかけられて、東アジア初、韓国史上初の女性大統領に就任した。

ところが朴槿恵大統領は何を思ったのか、就任当初から「反日」一点張り。失政を繰り返し、最後は不祥事で罷免というこの上ない不名誉に、父上も草葉の陰で涙していること間違いない。

朴槿恵政権の下で、二〇一五年十二月、日本でもあまり評判の良くない慰安婦問題の「日韓合意」がなされた。これは、日韓間の慰安婦問題の最終的かつ不可逆的な解決を確認したものだが、そもそも韓国の赤化政策により日韓関係が悪化している中、危機感を覚えたアメリカが間に立って、日本と韓国に圧力をかけた結果に過ぎない。実際、韓国側の合意不履行により日韓関係の改善の気配はないどころか、後継の文在寅政権下でさらに悪化しているのはご承知の通りである。

反日左派の策動は司法にも及んだ。そのおかげで国際常識から外れたとんでもない判決が裁判所から出されてしまっている。二〇一八年十月、大法院（韓国における最高裁判所）がいわゆる徴用工を巡って日本企業（新日鐵住金）に損害賠償を命じた判決など、まさに世界の恥である。その後、韓国政府が日本政府に「企業が賠償に応じれば、後に韓国政府が全額を穴埋めする」という案を非公式に日本政府に打診したそうだが、恥の上塗りだ。

司法の赤化と言えばこれもひどい話だが、朴裕河という女性の大学教授が、従軍慰安婦問題を論じた『帝国の慰安婦』という本を出したところ、「朴氏が虚偽の事実を記し、被害者（元慰安婦）の名誉を毀損した」として、二〇一七年十月、日本円で百万円の有罪判決が下った。学者の研究書に対して、普通の自由民主主義国家であれば絶対にあり得ない。

教育の赤化も看過できない。二〇一九年に検定を通過した高校の歴史教科書八種すべてに左派偏向が目立っている。歴史教科書の執筆を左派学者や全教祖教師らがほぼ掌握しているからだ。大韓民国の正統性を否定する北朝鮮の代弁者のような教科書を使っているのだから、若い人々は全部赤に染まって育っている。教育の赤化は本当に国を骨から蝕むのだ。

では、韓国の赤化の根本的要因はなにか。まず地政学的な要因が考えられる。古代から朝鮮半島は四方八方を列強に囲まれており、この中で生存するためには、強い勢力に身を委ねるしかない。そういう中で、長い間中国に寄り添い、富国強兵を怠り、軍事力を中国に委ねてきた。一八九四年の東学党の乱のとき、鎮圧に手こずった朝鮮は清国に援軍を要請したのがその一例である。それればかりか、中国を笠に着て、日本を見下してきた。だから、中国はもちろん、欧米に対してても持てるもので対等に渡り合おうとしてきた日本のように、武を貴ぶといった精神文化が育たなかったのだ。

朝鮮半島はそういう状況にあったものの、これまでは我々が言うところの人類普遍の価値観は、かろうじて維持できていたはずだ。特に、三十六年間の日本統治下で受けた精神的な影響は非常に大きかった。しかし、これがもうダメになってしまった。

共産主義社会は、人類普遍の価値観から遠く離れた、謀略と侵略と野望、そんな塊がころがって、至るところでぶつかり合い、騒動を起こしている、そんな社会である。今の韓国は、そんな価値観を持った中国、北朝鮮の影響にどっぷり浸かり、史上最悪の精神状態にある。

そんな韓国の現状に対して、日本の方々が、「韓国はけしからん」「韓国は相手にするな」「理念を同じくすることのできない国民であり、国である」「断交せよ」という声が出るのはもう仕方がない。当然の帰結である。しかし、それこそ反日左派の思うつぼである。

私は日本人のお怒りよりも遙かに強い憤りを感じ、韓国の現状を許せない。国民精神文化を叩き直す方法はもうないのかと嘆きたくなる。

■赤化韓国の目指す道

旭日旗への言いがかり、慰安婦問題、竹島問題、徴用工問題、レーザー照射、一連の反日活動で、韓国はいったいどこに向かおうとしているのだろうか。目的は日本ではない。究極的な目的は、アメリカを怒らせて、韓国からアメリカ軍を撤退させ、その結果、赤化統一を成し遂げるのが目的である。その手段として、いま日本が利用されているのだ。

北の先兵に堕してしまった韓国には、アメリカに直接対抗する手段が現にない。だからその手段を得るために、日本をけしかけているのである。その例として、二〇一九年に日本が韓国向け輸出管理の運用の見直し（いわゆる「ホワイト国指定取り消し」）を行ったことについて、日本としては韓国による国家主導の大量破壊兵器関連物資の不正輸出があったとの報告を受け、それならば、としかるべき対応を取ったに過ぎないが、韓国側はいわゆる「徴用工賠償判決」に対する報復であると過剰反応し、報復措置として日韓ＧＳＯＭＩＡ協定の破棄通告をした。これは日韓の軍事的結束を揺さぶる政策を採ることで、日韓のみならず日米韓同盟の弱体化を狙っての行為である。

日本にとってはとんだ災難だが、「そもそもの目的が日本ではない」ということだけは日本の皆さんに認識していただきたい。これは大変重要なポイントである。このアングルから分析していかないと、完全に戦略の方向が違ってくることになる。

問題は国際条約を無視して、ありもしない賠償を求める韓国の側にあるのに、この行為を反省するどころか、むしろ別の角度での駆け引きをしようと目論むから質が悪い。

こうした日本に対するやり放題の工作に対して、終止符を打たないと、日本はいつまで経ってもこうした無駄なやり取りから解放されないのである。

第二次安倍政権以降、それまで韓国に対して全面譲歩していた姿勢を、譲るべきでないところは一歩も譲らなくなったことについて私は高く評価する次第である。国際法と国際常識に基づき、日本国としての信念を持って対応すればよろしい。

■北朝鮮の目的はすべて「赤化統一」のため

北朝鮮の情報があまりないため、アメリカですら翻弄されているところがある。とにかく、悪知恵にかけては世界一。北朝鮮の悪知恵戦略は絶対侮れない。戦後七十年以上行ってきたことを見ればわかる。

ミサイルの発射についても、いろいろな思惑があるようだ。アメリカに対する挑発の場合もあるし、中には韓国の文在寅政権を助けるために発射する場合もある。

しかし、実は北朝鮮の核やミサイルはあまり問題ではない。

では何のためにやっているのか。韓国を赤化統一するためである。アメリカの世論を高めてベトナムの時のような状況を作ろうと企んでいるのだ。

日本に対しても同じである。日本の主権にも関わる「拉致」を行った理由も、実は赤化統一のためなのだ。日本を攻撃するためではない。そもそも今の北朝鮮に、アメリカや日本を攻撃する力などない。半島の外に気をそらし、その間に韓国の内部崩壊を促し、機をみて特殊戦で侵攻するというような戦略を彼らは練っているのである。

しかも時間は北朝鮮や中国、大陸勢力の側に有利に働く。韓国もそうだが、日本も我々のような戦争を知っている世代が、時間が経つにつれ、徐々にあの世に逝ってしまっている。先に述べたように、韓国の若い世代は赤化教育を受けて育っているため、これから赤に染まった新しい世代が増えていくのである。だから、このまま放っておいたら、時間が経つほど彼らに有利に展開してしまうのだ。

一つ北朝鮮のウィークポイントを挙げるなら、金正恩にまだ後継者がいないということである。こういう独裁国家で後継者がいないということは、暗殺の可能性が高くなるのである。そのため、妹の金与正に今のところ国内の政治の掌握をさせつつ、七十代、八十代をとっくに越した取り巻きの権力層の幹部たちを、処刑、粛清するといった形で世代交代を進めているのである。

では、北朝鮮は今後崩壊するだろうか。私は内部崩壊はしないと考えている。彼らは国民を躊躇なく殺せるのだ。国民の洗脳にも余念がない。それに対して反抗する勢力はあり得ない。もし宮廷内部で反乱が起きた場合、張成沢のような中国をその後ろ盾とする勢力が生まれる可能性はあるが、中国自身が北朝鮮の崩壊を望んでいないので、崩壊はさせないと思う。

崩壊はむしろ韓国の方が早い。といっても、これはポジティブな意味での崩壊である。なぜなら、韓国には軍隊があり、我々愛国勢力もまだ活動している。今の韓国を転覆させて、もとの韓国に立ち戻ろうとする可能性が多分にあるからだ。

それでは、一番気になるところである北朝鮮は強いのか弱いのか、という点について。

これは、正規戦、不正規戦、非対称戦の三つに分けて分析する必要がある。

まず正規戦について、そもそも北朝鮮には石油がないので戦えない。食糧もないし、まったく話にならない。北朝鮮もそれはわかっているので、正攻法では絶対に来ない。

次に非対称戦、核が実際に使えるのか。ハッタリにすぎない。

最後の不正規戦、これが怖い。彼らの今の戦略は、たとえばソウル三日奪取戦略などの特殊戦を考えている。韓国内で赤の勢力が大きな騒乱を起こし、アメリカ軍が本格介入する前に、たとえばソウルを占領して大統領を捕虜にしてしまう、一千近いアメリカ軍基地を占領して将兵を捕虜にしてしまうなど、こういう奇襲作戦を実行する可能性があり得る。

なので、北朝鮮については、この不正規戦への対策を事前にシミュレートする必要がある。

■「アメリカ出ていけ」と韓国が言えない事情

現在の朝鮮半島は、北も南もまったく狂乱状態ともいえる倒錯と錯綜の巷と化してしまった。

一九一〇年に日本に併合され、文明化して三十五年間発展を遂げたにもかかわらず、共産主義の洗礼を受けた北朝鮮は、監獄国家、強制収容所の国家、日本人拉致の国家、核の横暴国家……どれだけ厳しい言葉を並べても言い足りないくらいの有様である。

もう一方の韓国は、朝鮮戦争時にアメリカに助けられたことで共産主義の洗礼を免れ、日本からの手厚い援助で経済成長を遂げながら、本音は大韓民国の正統性を否認し、北朝鮮に民族国家としての正統性を与え、アメリカ中心の自由陣営を抜け出して、中国やロシアといった大陸勢力に鞍替えしようと目論んでいる。これが現在韓国の政権を担っている一握りの赤化勢力の正体である。

韓国は、朴正熙大統領の時代までは、なんとか国家としての体制をそれなりに保ってきた。しかし、一九七九年に朴正熙大統領が暗殺されたことにより、国家の体裁が保てなくなってしまったまま現在に至っていると私は考える。

現在の文在寅政権は、韓国を解体し、北朝鮮のような体制に近づけることによって「南北赤化統一」を果そうと目論んでいる。その手段として、アメリカ軍の撤退を目指しているのだが、彼らの口から直接「アメリカ出て行け」とは、口が裂けても言えない事情がある。

ご存じのように、韓国の経済は弱点だらけである。ＧＤＰの数値では経済大国のように見えるが、いまだに過渡的経済の域を脱していない。

韓国の外資依存率は五十パーセントぐらい、銀行の外資率も平均して約五十パーセント、それから、精密機械、素材、高度技術、部品などかなりの部分を日本に依存している経済構造になっている。二〇一五年に日韓通貨スワップ協定が終了したが、これも日本としてはメリットがほとんどなく、終了後、何度も再交渉を求めてきたのは韓国側である。しかも、その態度があまりにも尊大なので、結局日本側は応じなかったという話がある。

こういう経済状態で、もしアメリカ軍が怒って韓国から出て行くとなれば、もう一気に外資が流出し、韓国の経済は崩壊することは間違いない。だから今は口が裂けても「米軍出ていけ」とは言えないのである。

■アメリカを追い出すための反日

では、アメリカの側から出て行ってもらうようにするにはどうすればいいか。その答えの一つが「反日」である。

朝鮮半島は北も南も「反日」を叫んでいるが、まず北朝鮮の反日は国是である。北朝鮮は、中国の八路軍パルチザン出身の金日成が、ソ連の支援を受けて、「抗日運動の英雄」という嘘の伝説で建国したことになっている。だから、「反日」でなければ国が成り立たず、金日成自身の正統化もできない。よって「反日」は北朝鮮の根幹なのである。

対する韓国の反日はというと、実は「日本憎しの反日ではない」のである。ここで前項の話に繋がるのだが、経済的理由で直接アメリカに出て行けと言うことができない。だから、日本を叩くことで日韓に亀裂を生じさせ、それと連動する日米韓同盟を危うくさせた結果、アメリカ側から「韓国けしからん」「米軍は韓国から撤退すべきだ」と言わせるのが目的である。アメリカを直接叩くことができないから日本を叩いているに過ぎない。逆に、これを知らずに日本を叩いている韓国人は、共産主義者に踊らされているだけなので注意が必要である。

もし私に言わせてもらう機会があれば、私は怯むことなく堂々とこう言いたい。

「あんたたちはどうして恩を仇で返すのか。恩を忘れたのか。アメリカが韓国を守ってくれているが、そのアメリカが韓国を守れるのは日本という不沈空母があるおかげだ。それなのに反日をやっている。その反日にも根拠があるのならまだわかる。しかし従軍慰安婦にせよ教科書にせよ靖国神社にせよ何にせよ、ありもしない根拠をでっち上げて、それでもって日本を懲らしめようとする。これは正気の沙汰ではない。精神を取り戻しなさい」

■赤化大統領を追い詰めろ

いま文在寅は、韓国で複数の市民団体から告発されている。その中の一つは「自由北韓運動連合」、もう一つは弁護士らによる「文与罪国民運動本部」。罪状は与敵罪と反逆罪である。

言うまでもなく私の認識では北朝鮮は国ではないのだが、現在の韓国も国であるとは言えない。では何なのか。北朝鮮と内通する赤化勢力の一団に国が乗っ取られた状態である。だから、日韓双方のメディアの報道などの影響を受けて、韓国側では「反日」が、日本側では「嫌韓」の意識が高まっているのは仕方のないことだが、せめて日本の皆様には「文在寅政権を含む韓国の赤化勢力」と「韓国の国民、国家自体」を分けてお考えいただければと願う次第である。

韓国では、青瓦台前広場や市庁前広場、それから光化門広場で二〇一九年現在、毎土曜日に愛国団体や大勢の一般市民らが集まって、文在寅の退陣を要求する集会を開いている。あるときは大統領官邸前の道路にも、夜な夜な三百名から千名ほどの人々が全国から集まって、零下十度の寒い冬に筵を敷いて、道端で寝泊まりしながら、文在寅の退陣を訴えているのだ。

ただ、この文在寅の退陣を要求する勢力には、残念ながらはっきりした指導者がいないのである。今デモを行っている人々の立場を列挙しよう。

まず、保守右翼で文在寅を引きずり降ろして反逆罪でやっつけろという強硬派。国家に対する反逆をしているのが大統領自身だから、それを引きずり降ろして真っ当な処罰を受けさせるのは当たり前である。

次に、とにかく、まずは弾劾して大統領の座から引きずり下ろせ、後のことは後で議論しよう、という弾劾派。

もう一つが、「朴槿恵を再び大統領の座につけろ」という派。不祥事により任期途中で罷免された朴槿恵前大統領だが、罷免後の裁判で懲役三十年が求刑されたのだ（二〇二一年一月に懲役二十年＋二年が確定）。一国の大統領を務めた人物に懲役三十年など、いくらなんでも正気の判決ではない。そんな中、国民の中の決して少なくない勢力が、朴槿恵の再選を支持しているのである。特に朴槿恵、朴正熙親子の出生地である大邱や日本に近い釜山のある慶尚道で支持を広げているようだ。

その他、最大勢力ともいえる中間層。朝鮮半島は地政学的に列強に囲まれ、大陸と日本を結ぶ渡橋のようなところである。いつも外敵に怯えながら暮らしてきたので、日和見が染みついているのだ。この中間層の特徴は、自分たちの身の安全のためにとにかく強い方になびく。ともすれば日本人が理解できないような無節操さは、それだけ恐怖心が強く染みこんでいるからともいえる。

しかし、こういった情報は韓国の主なテレビも新聞もあまり報道しない。明らかな政府による報道規制、もしくは赤化政府に忖度した自主規制である。こういう情報はインターネットメディアで得ることができる。情報の選別に一定以上のリテラシーはもちろん必要だが、大手メディアがあてにならない以上、こういったネットの情報は代替として有用である。

■アメリカにも問題は多い

実はアメリカにも問題が多いのである。

私は、若い時にアメリカ空軍の航空通信学校に一年間留学した経験があり、韓国空軍に二十二年間在籍したが、その間、計四回延べ三年間をアメリカ軍と一緒に勤務した。だから、アメリカという国をそれなりに理解しており、その上で、立派な国であると評価している。日本が戦後アメリカに敬意を表しながら、今まで友好関係を維持していることからもそれがわかる。

しかし、アメリカは大きいがゆえに、民主主義の欠点を補えきれずに随所で失敗を繰り返しているのもまた事実である。近現代史を振り返ってみればわかる。まず毛沢東の共産主義国家、中華人民共和国を台頭させ、現在のモンスター中国を作ったのは誰か。アメリカが蒋介石軍を裏から援助して、日本と戦争させたからではないか。

その後、アチソン・ラインを引いて、朝鮮戦争を招いたのは誰か。

ベトナム戦争で大敗し、ホーチミンの統一共産ベトナムを誕生させたのは誰か。

こんな体たらくでは、金正恩とアメリカの核問題交渉にしても、どうなるかわからない。

■文在寅政権は長くないが……

最近になってアメリカは、韓国という国家と韓国の文在寅政権を分離して扱うような外交的立場を取るようになってきたように見受けられる。日本も同様にそういう立場をとってほしい。というのは、この文在寅政権は初めから北朝鮮の先兵として赤化統一を目的とした政権であり、韓国という国家に対して現在進行形で背信、謀反を行っているからである。

これまでさんざんやりたい放題のことを行ってきたが、軍隊も、官僚も、国民も止めることができずに現在に至っている。

ところが、曺国（チョグク）という法務長官の問題がもちあがったことで、暴走に一応ストップがかかった。これはいくつもの不正、犯罪が露呈している法務長官個人の問題ではなく、任命権者としての文大統領の責任問題でもある。

それを尹錫悦（ユンソギョル）という一匹狼のような男が検察総長になって、「青瓦台の蔚山市長選挙介入疑惑事件」の捜査に着手し、大統領府の元秘書官ら十三人を起訴した。

ところが、文大統領と秋美愛法務相（当時）の二人が組んで捜査を妨害し、通常一年ごとに行われている人事交代をくりあげて、無法にも大検察庁の部長、次長クラスの幹部を含む三十二名の首をすげ替えて、済州島や小さな市部などに左遷したのだ。

だから国民が怒り出した。法の上に大統領があり、大統領の上にまたおかしな赤の工作があるのか、という怒りである。

以上の「今後、文在寅政権は長くない」というのが、私を含めた韓国保守愛国勢力の一般的な見方だが、だからといって彼ら赤化勢力がこのまま黙って引き下がるとは思えない。彼らはもう崖っぷちである。だからこそ、何をするかわからない。

韓国内では既に、一九八〇年の光州事件という悪しき前例がある。事実、北朝鮮はソウル三日占領の作戦計画を持っている。北朝鮮の「三日でソウルは占領可能」というシナリオは、韓国内の我々軍事専門家も認識している。私の個人的な認識では、北朝鮮がこのシナリオを強行すれば、ソウルは三日で陥落するだろう。なぜなら、文在寅政権の間、休戦ラインや仁川空港の防衛ラインを、文政権はあえて弱体化しているからである。北からの戦車の進入路にもいろいろな障害物を設置していたのだが、それも全部取り外されている。

こんな大変な状況なのに、軍隊もメディアも動かないから、社会全体も動きようがない。もうなすすべのない状態である。彼らの目論見通り、アメリカ軍が撤退したら下手すると三日持たないかもしれない。

こういう男をなぜ野放しにしているのか。一刻も早く政権から引きずり下ろすべく、韓国国民の目覚めを促したい。

六章　「空の女神」藤田多美子鎮魂に寄せて

■人柱になった乙女

茨城県水戸市にあった陸軍航空通信学校に入校して間もなく、上官から「君たちの飛行安全を願って人柱になられた乙女がいるぞ」と聞かされた。

「空の女神」藤田多美子さんは、二十二歳のうら若き乙女であったが、昭和十五年十一月二十八日、水戸飛行場の北側正門近くにある堀井戸に人柱としてその身を捧げた。その遺書によれば、自らの命を捧げることで、相次ぐ飛行機事故を防ぎたいとの願いを込めたとのことだった。

私たちはさっそく、胸像と辞世の歌二首を刻む歌碑が建てられた廟に詣で、感動した私たちは、感謝と敬虔な祷りを捧げ、故人の冥福を祈った。

水戸飛行場はその四カ月前（一九四〇年八月）、飛行場の開場を兼ねた開校式典を終えたばかりであった。多美子さんも多勢の水戸市民とともにこの式典に参加し、開校を祝った一人であろう。

この式典で多美子さんはずらりと列線に並ぶ各種軍用機の偉容に、また居並ぶ空の勇士達の雄々しい姿に、そして軍楽隊の奏でるメロディが織りなす荘厳極まる式場での雰囲気に圧倒されずにはいられなかったのではなかろうか。

多美子さんによる学校宛ての遺書を引用する。


優しい父母　弟妹に養育され　この世に生を得まして　満二十二年　乙女となった私　何のなやみ愁(うれ)ひも知りません。

だがここに唯一つ私の心を乱すものは、爆音高く天翔ける飛行機の意外なる事故、そのため数多の犠牲を出しますとか、新聞紙上、人様の口の端から耳にします。

女学校時代の親友の兄さまもまたその一人と聞きました。忘れられません。去る二月五日、平和な水戸市に突如起こりました空の惨事、居合わせた私は、その場所に馳せつけ、おいたわしいお姿になられたパイロットを面(まのあた)りに拝見いたしました。それより……所沢飛行学校に入学いたしております、従兄から犠牲が二人出た、また三人、五人と云ふ手紙を手にする度(たび)事(ごと)、恐ろしかったあの時の事が、まざまざと思ひ出されて、ものに感じ安い乙女の胸はえぐられる様な思いが致しました。

その悪夢が消えやらぬ内、またまた蒙疆の戦野に起こりました飛行機事故その御ため、おそれおほくも金枝玉葉の御身をもたせられながら御薨去遊ばされた、永久王殿下、国を挙げての御悲しみ……この上もない心痛に堪えません。

その矢先、去る八日見てまいりました『燃ゆる大空』乙女の見る映画では御座いませんでした。あの映画と目下、戦場にて御活躍下さる陸海空軍の御方々とを照らし合わせて見ますれば、この様な女の生命物の数でも無いとつくづく感じさせられました。

そこへこの度御貴校の開校式その式場に臨みまして、偉大なる空の威容を実観させていただきそれより……四日間……大空に産声揚げて、まだ間もない御貴校何の愁ひも知り初めぬ、吉田が原に一人の犠牲者も出ませぬように、わが身を捨てて祈り捧げんと、今宵ここに参上いたし、この身をこの地に没します。

身は壌土と化するとも魂はかならずとこしえに、この地にとどまり大空翔ける皆々様の御武運を御祈り致す事で御座いましょう。最期におねがひとして、一言申し上げます。この身は何処へも持ち去らず藪の陰、森の端でも厭（いと）ひません。飛行場の見えます所、何処なりと埋めて下さいませ。

朝夕、皆々様のお勇ましい御活躍ぶりを見守りつつ、大日本帝国日本空軍の益々栄え勝さん事を、御祈り申し上げたう存じます。では皆々様、ご機嫌およろしゅう、御国の御為に御つくし下さいませ。

昭和十五年十一月二十六日　したたむ

水戸市愛宕町二〇一七番地　藤田多美子
吉田航空通信学校　空の勇士皆々様

歌碑になった辞世の句二首も紹介する。

大君の　御盾となれる　益荒男の
空の勇士に　この身捧げん

大空に　産響(うぶごえ)揚げし　吉田原
この身捧げて　守りまつらん

藤田多美子さんのこの遺書を詠み感動を受けない人がいるであろうか。その純粋な動機、熱情、気概共に非の打ち所のない、ただただあっぱれとしか言いようのないこの感激を私は抑えることができずに喘いでいる。戦前、戦後の時代がどう変わったにせよ、純情、正義感、愛国心、そして勇気ある心構えは普遍の価値観であると共に人間としての不変の珠玉である。

多美子さんは愛する家族にも句句切々涙なしでは読みきれない遺書を残している。

藤田多美子さんの殉死は、その清らかな身を空の女神として捧げた美談である。当時水戸陸軍航空通信学校の学校長・藤澤繁三少将は手厚く遺族を慰労し、かつ多美子さんの一周忌を迎えるに当たっては、地元自治体と有志によって多美子さんの胸像と歌碑が創られ、学校に廟を建て鎮魂顕彰することになった。多美子さんを勤皇茨城が生んだ殉国の女性として、その魂を永遠に祀ることにしたのである。

昭和十七年五月、軍事研究目的で水戸校に来校された三笠宮同妃両殿下も甚く感動され、有り難き御言葉を賜れた。また昭和十七年一月、航空総監・土肥原賢二陸軍大将も来校の折、遺族に対し深い慰労の言葉を伝えたのである。

しかし、昭和二十年八月に終戦を迎えると、世の中は一変した。米軍進駐により、水戸基地の飛行機、各種装備は接収、破棄された。ほとんどの旧軍事施設は跡形もなく消えてしまった。その後、水戸飛行場跡は幾度もの都市計画の変遷を経て、今は住吉町という地名の住宅地となっている。今昔の感に堪えない。

多美子さんの胸像と歌碑もそれっきり忘却の彼方に忘れ去られ、七十年の月日を数えた。

■「大空の女神」との再会

二〇一一年十二月八日、大東亜戦争開戦記念の日に、私はとある研究会主催で講演をした。演題は「私が戦った二つの戦争」であった。一つは日本国民として戦った大東亜戦争、もう一つは韓国人として戦った朝鮮戦争の体験談であった。

その聴衆の中に、目を輝かせ胸を躍らせながら聞き入る一人の青年がいた。この青年は拳骨拓史という気鋭の歴史作家だった。

拳骨氏は四年前、自衛隊関連の情報紙『朝雲新聞』に掲載された藤田多美子さんの当時の記事を読み、以来一日たりとも多美子さんのことを忘れたことはなかったという。

彼は藤田多美子さんの願いや「せめて胸像を飛行場の見える場所に置いてやりたい」という多美子さんの父親の思いを知り、失われた胸像や歌碑を再び祀るべく関連の要路を隈なく探し続けてきたのだが、手掛かりは杳として掴めなかった。

だが、四年間探していた生き証人にばったり出くわしたのである。彼は、私が水戸の航空通信学校のOBであることに小躍りし、「これは大東亜戦争で散華した英霊の御導きかも知れない」と直感して、私に近づいたのであった。

私は「多美子さんは私たち飛行兵のため命を捧げた我々の空の女神です。多美子さんに対する鎮魂とその尊い精神の顕彰は、今を生きる我々の当然の責務です。変貌している今の様な時勢であればこそ、より一層顕彰しなければならないでしょう。何とか力を合わせていきましょう」と答えた。

以来、拳骨氏と私は緊密に連絡をとりながら、手懸かりを探すのに没頭した。しかし私の先輩ともなれば歳は九十に近く、同期とて若くて八十四である。なかなか手懸かりは見つからなかった。中には「世の中は変わったよ、もう皆忘れたよ」という人もいれば、口調から「今更どうしようというのだ」と考えているであろう人もいた。

二十世紀も終わりの頃、私は仕事で日本に来た時、戦後はじめて想い出の地である水戸を訪ねた。元飛行場一帯は全然別の景色に変貌を遂げており、往時の名残をとどめるものが見当たらない。だがあるところにきて、私はハッと立ち竦んだ。私の目の前にあったのは、何とかつて正門の脇にあった衛兵所ではないか。

五十余年もの歳月が過ぎたのに、そのままの姿で残っているとは、と感心した。戦後この建物は当時水戸飛行場で軍属として勤務された神永さんが払下げを受け、そのままそこで店舗を経営しながら暮らしていたのだという。

私のこの話を聴くや、拳骨氏は急遽水戸まで足を延ばし、その店舗を訪れたのだが、神永さんは既にこの世の人ではなかった。

しかし拳骨氏は、その後多美子さんのご遺族の所在を突き止め、茨城県内にお住まいの多美子さんの妹・芳江さんとお会いする約束を取り付けることができたのである。

■「誉の大和撫子」

二〇一二年五月五日、私は拳骨氏と一緒に水戸市内の藤田多美子さんの実家を訪問した。この近所には、かつて元水戸陸軍歩兵第二連隊が駐屯し、その横には工兵四三部隊がいたので、多美子さんたちは、兵隊さんのラッパの音や軍靴の響きに囲まれて育ったのではないかと想像する。

現在は閑静な住宅地の一角にある多美子さんの実家は、今空き家となっており、広い良く手の行き届いた広い庭の片隅には歌碑が、そして奥間には胸像が安置されていた。瞬間私は、「嗚呼、この家は多美子さんの幽居だ」と悟った。

人の気配のない空き家という感じはなかった。国の代わりに御遺族が、その気高い多美子さんの遺志と誇りをこうして守り続けてくださっていたのだ。

生家では、多美子さんの三歳年下の妹・増田芳江さん（九十二歳）と、芳江さんの御令息で桜川市議の増田豊さんが出迎えてくださった。多美子さんの弟・圭吾さんも既に亡くなっており、生前の多美子さんを知る肉親は、芳江さんただ一人である。

芳江さんは、多美子さんの気高い遺志と誇りを終戦後も護り続けただけではなく、自費で『山桜の花影に――姉・多美子の追憶』（茨城新聞社刊）を出版している。さっそく拝読させていただいたが、さり気なく淡々とした語り口の文章だが、感動を超え涙なしには読めない。当時の社会背景、世相、人々の心を含め、最愛の姉の殉死に至るまでを、実に均整の取れた思考、表現力で描かれているのには驚くばかりである。全編を通じ、すんなり染み入る内容である。

私は日本の優れた教育の数々に関し、兼ねてから最高の評価を惜しまぬ者であるが、私自身が終戦の十七歳まで日本の教育を受けたことに心から自信を持っている。日本女性が特に高い資質を備えているのも、その教育の成果である。日本女性が他の追従を許さない健気さ、お淑やかさ、強い志操をもっていると日々実感しているが、このたび藤田多美子さん、増田芳江さん姉妹に会えたことで、その原形を発見した様な気持ちになり、感慨深い。

「自分は現実派、姉は浪漫派」と芳江さんは表現されていたが、私から見れば、お二人とも強い信念と勇気を兼ね備えた日本女性の鏡であることに違いはない。

芳江さんのお話を伺い、私は計り知れない感動を受けると共にその奥深い情緒と繊細な感性に深い畏敬の念を抱かざるを得なかった。

この身は何処へも持ち去らず藪の陰、森の端も厭ひません。飛行場の見えます所、何処なりと埋めて下さいませ。朝夕、皆々様の御勇ましい御活躍ぶりを見守りつつ、大日本帝国日本空軍の益々栄え勝さんことを、御祈り申し上げたう存じます。

日本の真の強みは独特の伝統的文化にあり、その中で育まれた優れた国民性にある。戦後の過渡期を経ながら一時自主性の欠如と自虐史観に陥り、総体的な劣化現象が憂慮されてはいるが、私の見る限り、日本の伝統文化と国民性の根底は強固不動である。

だから私は、日本は必ず再起すると信じて疑わない。これを恐れ、牽制する相手も少なからずある。それでも、日本人は誇りを失ってはならない。誇りは力の源泉である。靖国神社に祀られている二百四十六万の英霊（このうち朝鮮人戦没者二万人）を国家が顕彰するのも誇りの証であり、藤田多美子の愛国を顕彰するのも国としての誇りである。

そして日本軍と一緒に戦った朝鮮人がいたことも忘れてはならない。

あの時代が生んだ友情は、国の誇りであり、日韓未来への遺産である。

おわりに

日本と韓国は共に近代化に成功し、自由民主主義の価値を共有しているにもかかわらず、何故未来への協調に失敗しているのか。何故日本と韓国は過去の歴史問題の清算に至らず、若い世代まで歴史問題の対立に巻き込んでいるのか。

その原因は、本稿で論じた朝鮮半島の特殊な環境と地政学的要因にある。私は、日本統治に関する各論にはおのおの光があり影もあろうが、そのことには大きな比重を置いていない。総論的に見て、その必然性と背景そして結果が重要である。原因のない結果はない。その原因に対して正直にそして誠実に受け止め、結果に対しても偽りのない真摯な評価をするのが現代を生きる我々の最高のモラルであり、生き甲斐であるはずである。

歴史を正しく認識するには、歴史から自由になるだけの時代精神が必要である。過去の前近代的な人々は歴史に従属して生きている。しかし過去の歴史がどうあれ、未来は今を生きる人間たちの選択によってのみ切り開かれる。

私が日本に来て驚いていることはいくつもあるが、その第一は、日本人が過去の植民地支配に対する負い目意識を世界中のどの国より一番強く持っていることである。

日本人の恥の文化、潔癖性、潔さ、実直性、遵法精神などは、日本人が誇るべき特性であり、文化であり、伝統であり、歴史である。私はこの精神文化に対し深い尊敬の念を持つものである。

しかしながら、同時に私は日本人の精神文化の中には、至る所に行きすぎがあることに注目している。例えば、日本でのコンプライアンスである。行き過ぎてかえって融通性、伸縮性を失い、閉塞感を感じたり物事に臨機応変に対処することができないことがある。

日本人の意識構造とは裏腹に、植民地支配の本家である西洋人には負い目の意識などは微塵もない。むしろキリスト教文明の恵沢に浴させてやったという気持ちさえ持っている。ましてや謝罪を要求しようものなら、怪訝な顔をして反発するだろう。

植民地統治を受けた多くの国々では、かつての宗主国に対して友好的であるばかりか、尊敬を払う国も多く存在するという事実がある。朝鮮半島と中国だけが、過去の歴史を今に至るまで引きずるのは果たして妥当なことであるのか、深く反省すべきではなかろうか。

中国大陸の伝統的な戦略は西洋と異なり、相手の軍事力に対する直接的な破砕よりは、政略或いは謀略を駆使しての切り回しや勢力のバランスを変える戦略等を巧みに練り上げることだった。その伝統はいまでも変わらない。

朝鮮半島を含む中国大陸のこのような政略によって、韓国併合をめぐる歴史認識はもう改める時期を遥かに逸失している感が強い。それは自縄自縛となり将来の発展への足枷になりかねない。政治とは生きている人間の約束であり、選択であるはずである。政治が過度に歴史化されている現状から一日も早く脱皮すべきである。

今でも韓国と台湾では、日本統治時代を肌で覚えている老人たちが集まれば、「日本時代は秩序があり、弱肉強食ではなかったね。あの戦争さえなかったら良かった」という嘆きの声を聞くことがある。権力と金には関係のない日本統治を受けた人々の声である。天の声ではなかろうか。心して聞くべきである。

朝鮮半島は今も危機的状況にある。北朝鮮の赤化統一の脅威もさることながら、憂慮すべきは韓国の内部崩壊である。在韓アメリカ軍の存在と、日本統治時代を生き抜き朝鮮動乱を戦い抜いた我々愛国老兵を中心とする保守愛国志士達の抵抗によって、辛うじて持ちこたえているという状況である。日本とアメリカの、より積極的な朝鮮半島への関心と支援が求められる所以である。韓国併合百年の歴史的エネルギーが昇華し、日韓の和解、そして揺るぎない日米韓三国同盟実現への歴史的指導力として発現できないものであろうか。そのことを切に期待して止まないものである。

11　特集　12版　　令和2年（2020年）11月2日　月曜日

特報 Premium

日韓の絆体現　元空軍大佐死す

日韓それぞれで軍人として国に仕え、双方の友好に尽力した元韓国空軍大佐がこの9月、92歳で世を去った。陸軍航空通信学校（現・水戸市）出身の崔三然氏。「日本人の誇り」に終生こだわり、多くの知人が「日本人以上に日本人だった」と旅立ちをしのんだ。

空の女神復権に奔走

昭和3年、咸興市（現在の北朝鮮東海岸）に生まれた崔氏は少年時代に東京・立川に単身渡り、18年に陸軍少年飛行兵学校に入校。20年3月に陸軍航空通信学校を出ると、兵庫県の加古川教導航空通信団に配属され、陸軍伍長として終戦を迎えた。

戦後は韓国に戻り、25年の朝鮮戦争勃発で韓国空軍に入り、大佐まで務めて退役。その後は韓国で石油製品の品質管理などを担う財団法人を預かるなど、国内工業基盤の発展に努めた。

韓国空軍時代の崔三然氏（遺族提供）

崔氏の信条や人柄をよく示すエピソードがある。戦中、航空機事故の根絶を願い自ら命を絶った「大空の女神」をめぐる物語だ。

崔氏が学んだ陸軍航空通信学校の近くに住む藤田多美子さん＝当時（22）＝が昭和15年、当時相次いだ戦闘機事故の根絶を願う強い思いから、自ら人柱になろうと学校にあった古井戸に身を投げた。遺書には「大君の御楯となれる益荒男の空の勇士にこの身捧げん」と辞世の句が書かれていたという。

その遺志をたたえるため、藤田さんの胸像が校内に設置されたのだが、敗戦後に校内からは撤去され、その存在もしだいに忘れ去られた。しかし、胸像自体は藤田さんの遺族が守り続けていることを崔氏も知り、関係者を通じて遺族にたどり着いた。

「せめて、自衛隊の飛行場の見えるところに置いてやりたい」という藤田さんの父親の思いに応えようと崔氏は他の協力者と奔走し、交渉を重ねた末の平成24年、茨城県土浦市の陸上自衛隊霞ケ浦駐屯地に改めて胸像は安置された。

「飛行の安全のために身を投げ捨てた。われわれの空の女神だ」という気持ちが崔氏を動かしたという。

日韓を行き来していた崔氏は、日本国内で講演や雑誌への寄稿などを重ね、日本政府が韓国側に戦前についての謝罪を繰り返すことなどに疑義を呈してきた。

だが、両国関係を憂いての発言は韓国国内で受け入れられず、今から約10年前、崔氏は2人の娘が暮らす日本に活動の拠点を移した。

4年前に大腸がんを患ってからは、療養をしながら講演や執筆活動に努め、自身の体験から生み出された日韓のあるべき姿を訴えてきた。

日本文化を尊敬し…

藤田さんのおいで生前の崔氏と交流があった元茨城県桜川市議の増田豊氏は「若い時の日本の生活があったからこその親日だったと思う。日本との友好の下、良き韓国になってほしいと願っていた」と振り返る。

東京都内で営まれた葬儀で、都内の大学で非常勤講師を務める崔氏の次女、崔鶴山さんは「朝鮮の地で生まれ、日本の教育を受け、日本人の精神性と日本人が作り上げた文化を尊敬してやまなかった父が、この日本で人生の最後を迎えられたのはとても幸せなことだった」と述べた。

葬儀では、亡くなる約2カ月前に収録された、崔氏が韓国語で語る短い肉声が披露され、鶴山さんが和訳した。

「中国の世界支配を憂えている。日本こそ指導者になるべき国であり民族だ。日本が指導するアジア、極東になることを願ってやまない」

祖国韓国を愛し、最後まで日本を愛し続けた人生だった。　（政治部　今仲信博）

著者の訃報を伝える2020年11月2日付産経新聞紙面特報記事より（産経新聞社提供）

［特別寄稿］崔先生のようになりたい

村田　春樹（今さら聞けない皇室研究会・顧問）

崔三然先生が逝去されて早くも一年が経とうとしている。こうして寄稿させていただけるのは光栄の至りだが、書いていて心が痛む。未だに残念であり口惜しい。

私が崔先生の知遇を得たのは平成十九（二〇〇七）年頃である。ある女性の紹介で三人で話したのだが、その紳士的物腰、清潔に歳をかさねた風貌、知性溢れるお話、私の父や伯父が使っていた古い戦前の日本語が懐かしく、まさに一気に魅了されてしまった。

特に印象的だったのは、大日本帝国陸軍少年飛行兵時代と全く変節していないということだ。世の中が激しく変転し、韓国朝鮮そして日本まで国を挙げて変節した。しかし崔先生は微動だにしなかった。帝国軍人として、日本を讃え、皇室を尊崇し、日本の国策に理解を示し、あの戦争で戦ったことに誇りを持っていた。

もちろん韓国人としての祖国への忠節も、また堅固なものがあった。私の目の前に両国に忠節を尽くした軍人が忽然と現れ、私は驚喜した。実に嬉しかった。

それから、何十回もお目にかかり教えを請い、拙い手紙をさしあげた。回を重ねるごとに尊敬の念は深まった。かかる日本人ありき。かかる韓国人ありき。私は両国国民に大声で叫びたかった。

「ここに日本人としての見本お手本がいらっしゃる!ここに韓国人としての見本お手本がいらっしゃる!」と。

以下本書の紙面をかりて屋上屋を架すの惧れを顧みず、崔先生の魅力について語りたい。先生とお話ししていて驚いたことをほんの一部だが順不同で述べて行く。

◆「人間のインフラ」という視点に驚愕

まず、本文にも登場するが日本の路線バスの話である。一驚した。我々は全く当たり前のように利用しているが、言われてみれば実に快適である。昭和四十七(一九七二)年、二十一歳ではじめて訪韓した際に、ソウルで路線バスに乗ったことがある。座れなかったせいか、ものすごい乱暴な運転でつり革がちぎれてしまうのではないかと思うくらい必死で摑まっていたことを思い出した。

次に驚いたのは、「日本人と韓国人を比べると人間のインフラが日本のほうが遙かに高い」と仰ったことだ。その時点まで私は韓国人の方が人間のインフラ(この言葉は先生から初めて聞いた）が高いと思っていた。なぜなら韓国では学校は勿論あらゆる集会の劈頭に「国歌斉唱」「国旗拝礼」「先人英霊に黙祷」の三つが欠かせない。日本ではこのようなことをするのは極く一部の人だけであり、一般の学校でこの三つをやったら大騒ぎになる。国旗国歌英霊に敬意を払う韓国人を私は羨ましく思っていた。

昭和四十七年朴正熙戒厳令時代に訪韓した私は、高度国防反共国家、反共の防波堤の印象が強く、孜々として反共の戦線に従事する韓国人を頼もしく好もしく思っていた。韓国軍人がお互いに挙手の敬礼するときに「統一」とか「必勝」とか小さく叫ぶ姿に憧れたものだ。なので先生のこの「人間のインフラ」発言に驚愕したものである。

その後、先生を通じてのみならず、様々な情報に接してきて、韓国人もさまざま、中には従北派なる低劣な輩もいることを知るようになってきた。要するに、私は我が保守業界では珍しい「親韓派」だったのである（今でも）。

◆韓国人にとってのマッカーサー銅像

崔先生に教わるまで知らなかったが、朝鮮戦争の上陸作戦で有名な仁川に、マッカーサー元帥の銅像がある。先生は「あの銅像を守るために我々老兵は戦ったんだ！死守した」と嬉しそうにお話しされたものだ。以下、中央日報平成十七（二〇〇五）年九月十一日号を引用する。

仁川（インチョン）上陸作戦（一九五〇年九月十五日）五十五周年を控え「マッカーサー銅像撤去」を主張する市民、社会団体と銅像を死守しようとする団体の大規模同時集会が十一日、仁川自由公園一帯で再び開かれた。

韓総連所属大学生と民労総、全教組などの市民・社会団体会員四千人は、この日の午後四時ごろから自由公園マッカーサー銅像前の鳩の広場で「米軍強占六十周年反米自主宣布大会」を開いた。

これに対して黄海道（ファンヘド）民会、北派工作団（HID）出身隊員ら市民団体会員一千人は午後一時三十分ごろから自由公園隣近インソン女子高校で「マッカーサー銅像死守決意大会」を開いた。

この過程で両側は自由公園周辺で互いに声を上げ、卵を投げるなど対峙（たいじ）していた。

銅像死守決意大会で、彼らは「マッカーサー銅像撤去を主張する勢力は、北朝鮮共産主義者たちの立場を代弁しているもの」とし「現政府はむしろ彼らを保護しようとしている」と主張した。撤去を主張する団体の反米自主宣布大会では、民衆歌手パク・ソンファンさん（34）が「ノグン里の良民たちを撃ち殺せと命令したのがマッカーサー、新川（シンチョン）の良民たちを油で燃やしたのがマッカーサー」という歌詞の『マッカーサー』と二〇〇二年、米軍装甲車女子中学生死亡事件当時に発表した『ファッキングUSA（FuckingUSA）』を歌った。大会が終わって、人々はマッカーサー銅像の方に移動。これを制止する警察と対立して投石戦となった上、警察のバスの上に上がって叫ぶなど衝突した。警察はこの日三十八の中隊四千五百人余りの兵力を公園周辺と両側の集会場などに配置した。

一方、十五日には海兵戦友会などを中心に全国で一万人が集結する大規模「マッカーサー銅像死守決意大会」が開かれる予定だ。

私は、GHQが接収していた日比谷の第一生命ビルに昭和四十八年に入社、元帥の執務室の隣の応接室で社長から辞令を貰った。元帥の執務室机椅子は今でも大事に保存されていて、韓国で大変な英雄であることも知っていた。

あの仁川上陸作戦が成功しなければ、釜山に赤旗が立って大韓民国は消滅したことは間違いない。韓国人がマ元帥に感謝することは理解できる。その銅像を崔先生も皆と一緒に守ったことがとても好もしく思えた。その話を聞いて友人と韓国訪問することにした。

行く前に先生から「韓国ではマ元帥をメガドと言うのだよ」と教えていただいたので、空港から電車、バス、タクシーを乗り継いで、その都度「メガド」を連発してなんとかたどり着くことができた。無事に屹立していたので、先生に報告したことを思い出す。あの銅像は米韓同盟の象徴なのだろう。永久に保存されることを望む。

◆崔将軍の「将器」

平成三十（二〇一八）年四月、先生の九十歳のお祝いの会があり、私も招待された。盛大なものでとても楽しかった。ご令室が朝鮮古典舞踊を披露されたが、玄人はだしで驚愕感嘆したものである。夫の九十歳の祝いに、得意の舞踊を披露する妻。なんと美しいお二人だろうか。先生はとてもハンサムであり、昔はさぞかし浮名を流したことだと推察（確信）するが、たいへんな愛妻家でもあった。先生ご夫妻に、赤坂の焼肉屋に愛国女性団体「そよ風」幹部数人と一緒に招待されたことがあった。そのときのご夫妻のご様子を見ていると、先生は奥様が「可愛くて可愛くて」といった様子だったのには一驚した。韓国は日本の上を行く亭主関白民族だと思っていたのだが。

さてこのお祝いの会で、私はスピーチを求められ、以下のように話した。

「私はこの会に参加して驚いている。このような素晴らしい会は、日本にはない。考えられない。そもそも、子供が親のためにかくも盛大な会を骨身惜しまず開催することは、日本では珍しい。まして、我が家ではあり得ない。私が九十歳まで生きたら、子供たちから『お父さん、まだ生きてるの。いい加減にしなさいよ』と言われてしまうだろう。そして奥様がこうして踊りを披露するなど、ますます考えられない。私は感心するのは、先生は奥様が可愛くて可愛くてたまらないのだ、ということです」

そして話題を転じて、

「私は先生を政治家に譬えれば、ノルマンディ上陸作戦を指揮したアイゼンハワー将軍だと思う。私には夢がある。崔将軍の指揮下、元山でも清津でも南浦でも良い。北に上陸作戦を敢行する。参謀長は田母神俊雄閣下。上陸用舟艇の艇長は荒木和博軍曹。そして私、村田は二等兵として上陸用舟艇に乗船する。崔将軍の命令一下、私は死命を賭して敵の十字砲火の中を上陸するという夢です」

会場は大いに沸いたのだが、私は半ば本気である。先生のような上官の命令なら水火も厭わない、どうせ戦争で死ぬのなら先生のような将星の御馬前で討ち死にしたいと真剣に思う。

戦場で数々の美談、武勇伝、立派な突撃が、記録、記憶されている。日本軍の勇敢な突撃吶喊に、敵は恐怖驚愕して蜘蛛の子を散らしたことも多かっただろう。特攻隊然り、白襷斬込み隊然り。勿論日本軍にも本心は怖いし生き延びたいが、軍律厳しい中やむなく突撃した兵隊もいただろう。殺さなければ殺される土壇場だったこともあるだろう。しかし幾分か、どうせ死ぬならこの上官の下で、と思ったことも多かったのではないだろうか。

私は、自分がもし戦争に行ったら、崔将軍のような指揮官の下で名誉の戦死をしたかったのではないかと思う。

少し脱線するが、平成十年長野冬季五輪の際に、紀宮内親王殿下を間近に拝したことが二回ある。その気品に打たれた。あたかも音楽隊の吹奏する「エルガーの威風堂々」のなかを登場されたのだが、私はこのお方のためなら死ねる、と思ったのではない。このお方の御馬前に討死にしたい、と思ったのだ。崔先生には「将器」という言葉では片付けられない、そう思わせる魅力があったのだ。

◆優しさと威厳の両立

先生は兎に角優しいお方だった。二十三歳年下の私の顔を見ると必ず「村田さんお体大丈夫ですか、働き過ぎですよ。すこしは休みなさい」と仰ってくださった。先生は癌の手術をなさったこともあったのに、一方の私は健康そのものなのに、いつもいつも私の体を気遣ってくださった。

一度ご入院先の病院にお見舞いに伺ったら、私の顔を見るなり「村田さん、お体だいじょうぶですか。少しはお体大切にお休みなさい」と言われて面食らったことがある。偉大な将軍は、日頃から部下の将兵を二等兵に至るまでいたわっていたのではないか。だから一旦緩急あれば、将兵は将軍の命令一下、あのお方が言うのだからここが死に場所だろう、と突撃していったのではないだろうか。

先生は軍人としての威厳があった。背骨がピシッと伸びていた。病院で崔先生が「ここの主治医はなぜか私のファンなんですよ」といたずらっぽく笑った。私にはわかる。主治医は「この患者、ただ者ではない」と感じたのだ。

私は中央日韓協会の会員だが、会員仲間と韓国料理屋で崔先生を囲んだことがある。仲間は一目で先生の威徳に感じて、乾杯も後ろを向いて飲むなど最高の敬意を表していた。

驚いたのは、若い女性韓国人店員の応接である。我々に対するものと先生に対するものとの応対がまるで違うのだ。畏怖の念を覚えているのだろう。優しいのに威厳がある。生まれ持ったものか、帝国陸軍、韓国空軍の訓練の賜物だろうか。除隊されて五十年。その威厳は些かも失われていない。

歿後半年たった頃だろうか、先生を慕う日本人数人でご遺族を招いてささやかな慰霊昼食会を催した。会の最後にご令室が挨拶に立ち、開口一番こう仰った。

「夫は男の中の男でした」

驚愕した。歿後半年、未亡人にこう言われる夫(仏様)が一体どこにいるだろうか。

私は通夜の酒席で参列者の前で早くも夫(仏様)を罵る未亡人を見たことがある。永井荷風も、夏目漱石の未亡人が亡き夫の生前のだらしない姿をとくとくと語る雑誌の記事を「なんたる不貞」と斬って捨てている。

◆「真の愛国者」だった先生

話は変わる。先生は心から日本を愛し、尊敬していた。繰り返すがその気持ちは少年飛行兵時代となんら変節していなかった。韓国人から見たら「親日派」として糾弾されるだろう。私は韓国人に声を大にして言いたい。

「先生は本当に愛国者だった。大韓民国を心から愛し故郷を愛し、熱烈に北進統一を願っていた」

崔先生は心から「韓国よ偉大な国になってくれ。この国歌（愛国歌）にふさわしい国になってくれ」と願っていた。この愛国歌については紹介したいエピソードがある。

大韓民国国歌（愛国歌）一番

東海の水と白頭山が乾き果て、磨り減る時まで
神様の御加護ある我が国万歳
無窮花、三千里の華麗な山河
大韓人よ、大韓を以て永久に保全せよ

私が顧問を務める愛国女性団体「そよ風」は、先生を招いて何回か講演会を開催した。その

際は開会冒頭に君が代を斉唱し、続けて起立したまま愛国歌を一同で拝聴する。仲間の福住佳久氏がいつも両国国歌の動画を映写してくれるのだ。

平成二十九（二〇一七）年一月七日開催の時も、その段取りでリハーサルまでやったのだが、先生は「愛国歌は今回はやめてくれ」と強く主張された。私は荘厳で美しいこの愛国歌は君が代に次いで好きな国歌であり、両国国歌斉唱こそ親善の象徴だ、と強く主張したが、先生は断乎として拒否された。その前月に釜山で所謂慰安婦少女像が立てられた事に先生は激怒され、「私は恥ずかしい。この韓国が恥ずかしい。この国はこの歌にふさわしくない。日本の皆様にお詫びの気持ちで一杯であり、その意思表明として愛国歌斉唱は断乎辞退します」とのことだった。結果は君が代だけになったが、当日会場で起立して口を真一文字に結び悲痛な表情で君が代を聴かれる先生のお姿を拝して、私も心から悲しく思ったものである。

◆「日本人よ自信を回復せよ」

先生はテレビの討論番組コメンテーターとして登場する某韓国人大学教授が、画面で反日侮日発言をするのを見ると「顔を伏せる、本当に恥ずかしい」と仰っていた。お気持ちはわかる。私も外国に行って「日本は悪うございました」と土下座する元首相を見ると顔を伏せる。

今日本では韓国ブームが去って嫌韓ブームであり、書店には嫌韓本がうずたかく積まれている。日本の保守派は韓国が大嫌い。日韓断交デモなるものもあり、私も参加したことがある。反共の防波堤だった朴正熙大統領全盛時代を知る私にとって、まさに隔世の感がある。何しろ昔は朝日新聞や岩波書店をはじめ、日本中の左翼が北朝鮮を礼賛し、韓国を激しく糾弾していたものだ。

今従軍慰安婦、強制連行、日帝三十六年の支配の恨みつらみというのか、今年の東京五輪でも韓国選手団の反日のパフォーマンスが問題になっている。どうしてかくも韓国は日本を刺激するのか。理由は山ほどあるが、崔先生が最晩年に私に教えてくれたことを紹介したい。

「村田さん、北朝鮮の奴らはヴェトナム戦争の成功の教訓を、徹底的に研究しているんですよ。北ヴェトナムの勝利は米軍撤退にこそ由来するが、ではなぜ撤退したか。それはアメリカの厭戦ムード、有権者が戦争にうんざりしたことだったんです。北ヴェトナムが世界中のメディアやハリウッドを通じて、猛烈な反戦運動を展開させ、これが功を奏して結果的に米軍は撤退して、サイゴンは陥落したんです。

目を朝鮮半島に転じると、仁川のマッカーサー像の撤去もその一環なんです。日本人は韓国人は韓国で反日活動ばかりしていると思っているが、実は反米活動はもっと盛ん。そして奴ら（北朝鮮＋韓国の従北派）が日本にしかける慰安婦だの、徴用工だのは、ヴェトナム戦争の反戦ブームの再現を狙っているのですよ」

私は小膝をたたいた。なるほどその通りである。

どうやって日本人、とくに保守派の心を韓国から離れさせるか。この一点で、奴らは次から次へと仕掛けているのである。朝鮮戦争で日本が巨大な不沈輸送船になったことが、北の敗北の大きな原因だったことを、北の奴らは骨身に染みているのだ。だから日韓を離間させようとしているのだ。

しかし、すべて黙過するわけにはいかない。我が日本民族・国家の誇りを護るために、奴らの攻勢に反駁していかねばならない。反駁すればするほど、北の奴らは喜ぶというジレンマが生ずる。しかし、このジレンマを解く方法を、崔先生は我々に示してくれる。

「日本人よ自信を回復せよ」

◆先生と朴東薫伍長との秘話

私は大東亜戦争に協力してくれた韓国人、朝鮮人に興味を持ち、資料を蒐集していた。何回か都内で講演させていただいたこともある。中でも特攻隊の話は、語りながら涙を堪えられなかったものだ。

特に昭和二十年三月二十九日沖縄洋上で戦闘機で特攻戦死した朴東薫（大河正明）伍長のことは印象深く、講演会では必ず話したものである。朝鮮北東部の咸鏡南道の興南市にいた朴伍長の遺族は、朝鮮戦争の勃発で命からがら越南したが、父親は弟に「おまえの兄さんは犬死にではない。日本という国は決して悪い国ではない、特攻で死んだものの家族に対して責任を必ず持つ国だ」と言っていたそうだ。私は顔を伏せるしかない。日本は、天皇陛下も総理大臣も靖国神社に参拝すらできないのだから。

令和二（二〇二〇）年二月四日、千代田区の憲政記念館で、ウイルス禍をおして呉竹会（頭山興助会長）主催による崔先生の講演会が開催された。

先生には奥様が付き添い、足下もややおぼつかなかったが、お元気に講演された。

そのとき私は驚愕した。あの朴東薫伍長と崔先生は興南の工業学校で同時に（学校で初めて）少年飛行兵の試験に合格し、全在校生徒の前で一緒に挨拶をしたそうなのだ。

私が先生に「一歩違えば先生が特攻していたかもしれませんね」と問うと、「そうです。そういう時代雰囲気だったんですよ」とこともなげに仰った。

私は昭和二十年五月の朝鮮映画社の『愛の誓ひ』（今井正監督、志村喬出演映画）で、出征兵士が母校朝礼で整列する生徒に挨拶し、「出征兵士を送る歌」の斉唱で見送られるシーンを思い出した。清らかな声での朝鮮なまりでの斉唱には落涙したが、その場面と沖縄洋上の米艦船の猛烈な砲弾の中を特攻激突する戦闘機を思い浮かべて、しばし言葉がなかった。なぜ長いお付き合いの中で、先生はこの朴東薫伍長のお話をされなかったのだろうか。この講演会が先生の最後のものになってしまった。

◆ダンディでおしゃれ、女性にモテた崔先生

先生は男性にもモテたが、特に女性にモテた。愛国女性の会「そよ風」の幹部Aさんは語る。

「先生のお立場での御発言には、身命をかけてのご覚悟と、帝国陸軍の軍人であった時の誇りと、日本と祖国への愛情が溢れていました。先生は、物事の真実を一言で突く名人でもありました。一端を挙げますと、○日本はパラダイス。○差別？ 少年飛行兵教育を受けた時は差別などなかった。○村山談話以降、日韓関係も日中関係もかえって悪化した。○中国や北朝鮮による日韓分断工作に乗るな」

Aさんはさらに続ける

「先生は、ダンディでおしゃれ。いつもセンスの良いシャツとジャケットを、素敵に着こなしていらっしゃいました。それらは、ご自分で選ばれていらしたと、ご家族から伺い、驚きました。お側に立つと、頼りがいのある男性らしさと深い包容力に包み込まれるようで、少年のような愛らしい笑顔も相まって、その魅力的なオーラに圧倒されました。

お葬式で流されていた曲は、いつも聞いていらしたという、レハールの『オペレッタ（微笑みの国）』、『ゴッドファーザー』、『トゥーランドット』などで、先生の若々しさの秘訣がここにもあるように思いました。先生の講演会を開催できたことは、そよ風の宝です。もっといろいろお聞きしておけばよかったと悔やまれてなりません。

崔先生は、正に、韓国併合の目指した理想の人物を体現されているような方でした。その類まれなる精神力、忍耐力、包容力、知性、男らしさ、にあふれた日本の古き良き時代の優秀な軍人を彷彿とさせる方でした。崔先生のお言葉には、誇りある日本を取り戻せ、日本よ強くなれ、日本ほど素晴らしい国はないと自覚せよ、という願いが籠っていました。

祖国と日本の為に戦ってこられた、先生だからこその視点で、俯瞰して見た日本の姿は、日本人全体が知るべきことだと思いました。現在、中国や北朝鮮による日韓分断工作が行われているという具体的なご提言は、とかく、感情論に流されてしまう日本人にとって、肝に銘ずる事だと思います。先生に出会えたことは私の宝です」

同じく「そよ風」の幹部Bさんは語る。

「崔三然先生の講演会をそよ風で三回開催しました。

講演会でお話しされる先生は、ネクタイに合わせたハンカチを背広のポケットにさりげなく入れられていたりと、おしゃれでいらして、いつも背筋を伸ばされて、きちんとした綺麗な日本語で理路整然と話されていました。講演会では必ず『日本人ほど「道徳、正義、倫理」の三拍子そろった人が多い、もっと誇りをもって欲しい』と『日本ほど素晴らしい国はない』と力説されるのですが、自分を含め現在の日本人を考えて、恥じいるばかりでした。そして崔先生の佇まい、振る舞いを見て、先生こそが戦前に日本で受けられた教育を、いまだ体現されている日本人より日本人らしい方だなと、昔の日本人を見ている様で、懐かしくさえ思えました。

先生は一方で、韓国の現状を非常に憂いておられました。講演会で先生は韓国の赤化について話されましたが『それは北朝鮮の工作で共産化されてきているせいだ』と熱弁を振るわれていました。今から思うとちょうど光州事件についてのお話だったと思います。その時私は司会をしていたのですが、お話が終わらず時間が超過してしまいましたので、先生に時間ですよと耳打ちいたしました。先生は『これはぜひ皆さんにお話ししなくてはいけない重要なことですよ。司会者の方が止めさせようとしていますが、話を続けてもいいでしょう』と言われました。いつも穏やかな先生が、珍しく力説されますので、休憩の後、その続きをお話しいただくことにしました。

先生は祖国韓国をなんとかしたいという熱い熱い思いを、韓国赤化の決定契機になった光州事件等を例に出して、吐露されました。今になって考えれば、それは『同じように日本にも工作が及んでいるのですよ』と先生が、日本の現状に対する警告を吐露されたとわかります。続きをお話しいただいて良かったとつくづく思いました」

崔先生がいかに女性を魅了していたかよく分かるというものである。

最後に、数年前病院にお見舞いに行ったときのことを紹介する。私が顔を出すと先生はむっくり起き上がり、風雲急を呼ぶ朝鮮半島の情勢を、腕を振り回して情熱的に語り始めたのには驚いた。心底感服した。

私は、その頃六十五歳ぐらい。活動から引退を考えていたが、いい若い者が引退などと思ってはいけない、とつくづく思ったものである。

先生は未来を信じていた。未来を語るのがお好きだった。私は失われた日本と韓国の絆にのみ興味があり、両国の未来に絶望している。これからは不肖の身ではあるが、先生に倣い、日韓の未来を語っていこうと思う。

私は、最後まで希望を捨てずに戦ってきた崔先生のようになりたい。

何歳になっても女性にモテてきた崔先生のようになりたい。

そしていつかあの世に行って、天国のカラオケで、私の下手な韓国語の歌『サランへ』『イビョル』『ピョンジー』『ソウル賛歌』をお聞かせしたい。先生は呵呵大笑されるだろう。合掌。

［解説］崔三然氏が訴えたかったこと

佐伯　浩明（元産経新聞政治部編集委員）

◆「遺書」であり「警世の書」

本書の著者、元韓国空軍大佐の崔三然先生は、二〇二〇年九月二十五日に、ご家族に見守られながら、安らかに九十二歳の生涯に幕を閉じられた。晩年はがん治療のために、本郷の東大病院への入退院を繰り返されていたが、崔先生は亡くなられる直前まで気力の衰えを見せず、講演に打ち合わせにと資料を詰めた手提げバッグを手に持って会場に来られた。

身長百八十センチ近い堂々たる体躯から発せられる言葉は、一貫して「韓国よ目を覚ませ！」と祖国の現状を憂える発言であり、「日本人よ誇りを取り戻せ！」と叱咤された。足取りはゆっくりされていたが、背筋は何時もピンと伸び、少しも崩れたところがなかった。鍛えられた体と頭脳の明晰さは、軍隊での鍛錬と、怠ることのなかった思索の日常を物語っておられた。

都内の緑豊かな荒川沿いのマンションご自宅の書棚は、日韓両国の歴史書と地政学と時事関係の書籍で溢れていたが、その崔先生が深夜に及ぶまでパソコンに向かい、日本国民に読んでもらうべくキーボードに精魂込めて思いの丈を打ち込んで書かれたのが、本書『元韓国空軍大佐が語る 日本は奇跡の国 反日は恥』である。タイトルだけでは想像できないが、本書は両国の歴史文化と地政学的考察、それに金一族の独裁国家・北朝鮮が朝鮮半島に及ぼした弊害を分析し、日韓両国民が目指すべき指針を示した「遺書」である。同時に両国民に与えられた「警世の書」である。

崔先生が本書で訴えたかったことは章立てに表れている。「過ぎし二十世紀は戦争の世紀であり、激動の世紀でもあった」と歴史を俯瞰した文章で始まる「はじめに」の序文は、東アジア情勢を巡る構図が「大局的に見て大きく変わっていないばかりか、朝鮮半島では朝鮮戦争休戦以来七十年近く経った現在も北朝鮮による不安定状態が継続しており、一触即発の危機をも孕んでいる」と、冒頭から半島情勢が容易ならざる事態であることに警鐘を鳴らしている。

さらに、「李朝の宿痾」を負っている北朝鮮の悲惨な国情に言及した上で、日本の長所、美点については、詳細なデータを元に「日本がいかに素晴らしい国か」ということを幾つか例示されている。

先生は、そうした日本を正当に評価できない韓国の同胞に「正気を取り戻せ」と呼びかける一方で、また、常々、我々に「日本は立派な国である。東洋にとってかけがえのない国であり、再びよみがって世界のために貢献して欲しい」と語っておられた。「遺書」たる由縁である。

◆日本の社会インフラの卓越性を説く

第一章の「日本は『おとぎの国』である」では、西洋列強と日本の帝国主義の基本的違いについて「西洋はただただ帝国主義の拡張で富を増やし、植民地を経営する目的で、一時期地球表面積の八十四パーセントを植民地化した」のに対し、「日本の場合は、安全保障が第一義の動機だった。生存のため、自衛のためだった」と回顧されて、「先達の憂国に対して尊敬顕彰こそすれ、これを単に軍国主義だとして貶めることは慎むべきではないか」と、堂々と主張されている。

また、予備役陸海空軍海兵隊大佐連合会の顧問を務めていた崔先生は、韓国の愛国団体である国民行動本部の徐貞甲本部長(予備役陸軍大佐)を助けて、反共国民啓蒙運動を展開されてこられた体験を元に一つの貴重な提言をされている。「私たちのような戦争を経験した韓国人と連携して、この歴史戦を戦いぬくことである」と。これは至言である。

しかし、戦争の傷跡深い日本政府がしてきたことは、戦争アレルギーの反動で敗戦の考察を怠った。先の大戦目的を忘れて、いわゆる従軍慰安婦問題にしても、徴用工の強制連行問題にしても、事実であるかどうかの解明を万全にせずに、戦争被害者の発言というだけで、相手の発言の真実か否かの精査を欠いてきた。安易なヒューマニズムから、韓国政府とマスコミの前で謝罪を繰り返し、反日感情と嫌韓感情を激化させてきた。このために、韓国においては却って真実を明かそうとした学者や言論人が何人も職場を奪われ、出版物の発禁処分を受けた。日本政府は、正しい言論を擁護し育てることを、中韓両国に対しては全く怠ってきたのである。このため親日派知識人や政治家、実業家、並びに親日的一般庶民がどれだけ肩身の狭い思いをさせられてきたことか、歴史戦における政府・自民党の猛省を求めたい。

このような指摘を踏まえた上で、崔先生は、日本の社会インフラの卓越性を具体的に説き、それを支えてきた日本人の遵法精神の他の高さ、水準の高い人間インフラを育てた、教育、道徳、倫理の効用にも言及されている。「この人間インフラこそ、日本が他の追従を許さない強み」だと強調され、これを育んだ日本の歴史、伝統、文化と日本の有機的地政学的環境の賜物であり、人を「誇りにし、そして大切に継承して行くことに努力すべき」と説かれている。

その上で、「日本は直ちに自らの方向性を正し、国民性と文化・歴史・伝統からなる日本の底力を発揮して必ず立ち直るものと、私は信じている」と書き残された。

教壇に立つ日本の先生方が、このような深い洞察を共にして生徒や学生たちに教えられたら、どんなに自信に満ちた青年が育つだろうかと、思わずにはおられない崔先生の筆致である。

◆戦時中の朝鮮半島の実情、そして日韓両国空軍での体験を語る

第二章の「『少飛魂』と韓国空軍」では、崔先生は、戦後日本人が所与のものとして使っている「太平洋戦争」という言葉を使わず、戦後禁句扱いされた「大東亜戦争」という言葉を使いながら、苦戦の色濃い昭和十八年に、当時、中高一貫校だった咸興（ハムフン）工業高校の中学三年時に、少年飛行兵を志願したエピソードを紹介している。

一年上の四年生の朴東薫さんと共に志願したのだが、当時、学校中が大騒ぎとなり、それがきっかけで翌年からは、「日本人の学生たちも我も我もと志願して、海軍の予科練や私のように陸軍の少飛に入って戦った」と回顧されている。しかし、朴青年は昭和二十年四月に沖縄で特攻隊員として戦死。崔先生は、「彼は満洲の基地から命を受け九州の知覧に行く途中、ソウルに立ち寄り、家族に別れを告げた後、父と共にソウル南山の朝鮮神宮に参拝している。まぎれもない皇国民であり、帝国軍人であった。戦死後に『半島の神鷲』と讃えられ、当時の朝鮮総督府の高官が自宅を訪問している」と、朝鮮出身飛行兵も讃えられた事実を記されている。

当時、朝鮮の人々は志願兵のみで、徴兵はなかったので、学生だった兄上は戦争に参加しなかった事も紹介した上で、昭和十三年に朝鮮半島に導入された志願兵制下では、初年度は陸軍の志願者の競争率が七倍強、十四年には二十倍になり、十七年には六十倍以上に達した、とも記された。「『日本軍は韓国人を強制連行して無理やり戦争に駆り出した』という戦後の論調が

全くの嘘っぱちである」とまで書かれている。

第二章の中のわずか二、三頁の記述なのだが、このわずかな件だけでも、戦後日本の新聞が伝えてきた先の大戦にかかわる実相がいかに事実に基づかず、均衡を逸していた報道だったかが解る。日教組の先生方は、戦後のＧＨＱ（連合国軍最高司令部）と日本共産党の一方的な「侵略戦争史観」に染まり、事実か否かを検証せずに、教え子たちに「自虐史観」を刷り込んでしまい、自信喪失の一因を作ってしまっている。

日本の軍人の多くは、見解が百八十度変わった戦後の風潮に嫌気がさして口をつぐんだまま他界されてしまわれた。今や靖国神社への天皇陛下の御親拝も途絶え、靖国神社へ参拝する政治家も年々減っているのが実情である。これでは、戦場に散った将兵の魂は決して鎮まることはないだろう。

少年飛行兵を志願した崔先生は、東京を経て大分教育隊で学ばれたが、日韓両国の生徒は晩年に至るまで強い絆で結ばれ、そこに差別の空気はなかったという。また、崔青年は教育隊を卒業後、茨城県水戸の陸軍航空通信学校に入校し、そこを昭和二十年三月に繰り上げ卒業し、兵庫県の陸軍加古川飛行場に配属されて終戦を迎えられた。部隊長からは「おまえら朝鮮出身者は早く帰って、独立に貢献せよ」と訓示されて朝鮮に帰国されている。

帰国後、崔先生が記している朝鮮半島に渡った日本人の行方についての記述は、日本人として記憶しておかなければならない。すなわち、韓国に暮らした人々は敗戦後、比較的酷い目に遭ったり命を落とした人は少なかったようだが、「三十八度線より北の北朝鮮にいた人々は悲惨の一言に尽きる。裸同然で追い出され、路頭に迷わされて、収容所に入れられた人、凍死した人、餓死した人、病気で亡くなった人など。朝鮮半島にいた日本人の約十パーセントが亡くなったと言われている」と書かれている。崔先生は、日本人が覚えておかなければいけない史実として書き残されている。

崔先生自身はその後、実業家だった父親を工場実験室の爆破事故で失いながらも、自らは請われて、発足間もない韓国空軍に入隊され、韓国空軍の形成過程を負いながら、朝鮮戦争の経過を振り返っておられる。

◆日本政府よ、崔先生の提言に耳を傾けよ

第三章の「韓国の危機は日本の危機」は、崔先生が過去百年余の歴史を振り返って、冒頭で「朝鮮半島が日本の安全保障の基軸」であったことを戦史と地政学の見地から見事に立証されている所に特色がある。それも「北東アジアの武力行使は必ず朝鮮半島を通じて日本に及ぶというのが、地政学的な構図である」と喝破されて筆を進めておられる。

その上で、崔先生は「朝鮮半島の宿痾の源泉」として「大陸における侵略とは、根こそぎ奪

い尽くす惨劇」と、「李朝の苛斂誅求」を挙げて儒教の半島的影響にまで言及されている。そうした土壌と歴史が生んだ韓国人の性格にまで分析は自由に及んでいて印象深い。

さらに、崔先生は、日本の安全保障における朝鮮半島の重要性に筆を進め、北朝鮮の「赤化統一戦略」の危険性、すなわち自国が「崩壊する前に韓国を乗っ取り、生き延びようとする戦略」の危険性を指摘している。日本の専門家のあいだでは「今の北朝鮮の現状では挑発はあり得ない」とする見方が主流だが、逆にこうした見方に対し「北は窮すれば窮する程暴発の可能性は高く深刻である」と警告されている。また、「中国の戦略は西洋と異なり、相手の軍事力の直接破壊よりも、政略或いは謀略を駆使しての切り廻しや勢力のバランスを変える戦略に長けており、その伝統は今も変わらない」と様々な例を挙げて謀略などの危険性を指摘されている。

崔先生はこうした見解を踏まえた上で三つの提言をされている。第一は「沖縄米軍の戦略的な配置を最重視し、戦力の集中投下、兵站線の短縮等最高の戦力発揮を可能にする条件を与えるべき」こと。第二は「日米韓同盟への努力」を挙げている。さらに「中国は北朝鮮に四千二百名の工作員を北の崩壊事前防止に投入しているという情報がある」と指摘をされた上で、第三の提言として、日本はスパイ防止法と中央情報機関の一刻も早い設置を説かれている。先生は「日本と韓国は同病相哀れむ立場に置かれている。過去は水に流し、未来に向けて前進すべきである」「日、米、韓三国の相互安全保障体制のさらなる強化を推し進めるべきである」

とも言われており、日本政府は命をかけて行動された崔先生の提言に是非、耳を傾けていただきたい。

◆「国際的に日本の指導力を発揮せよ」と訴える

第四章の「日韓に横たわる問題の本質」は多岐に渡って論じられている。冒頭は「徴用工と慰安婦の真実」を取り上げているが、すでに決着のついた問題としての扱いのニュアンスだが、ただ一点、崔先生が要望しているのは、「在日韓国・朝鮮人の中には、誇り高く、日本人よりも日本人らしい、本当に頭が下がる人物もいる。こういう善良な市民として日本で生きている在日韓国・朝鮮人もいるということを読者の皆様には理解してほしいし、こういう人々に対しては、日本政府としても、より温かい施策があってほしいと伏して願う次第である」という願いである。筆者としても政府の配慮をお願いする次第である。

第四章の焦点の一つは「光州事件」への言及である。崔先生の見解は、一九八〇年五月十八日に起きた光州事件は、「金大中が朴正煕大統領の暗殺を契機に、北朝鮮と組んで韓国政府を転覆する計画を企て、北朝鮮軍六百名に加え、工作要員九百名、合計約千五百名の特殊集団を全羅南道の光州市一円に順次的に投入して、暴動を起こさせたという事件」との見解を支持する立場に立っておられる。

この事件で当時の金大中大統領には大法院（最高裁判所）で死刑判決が下ったが、一九九七年に金泳三大統領になると、当時、暴動を鎮圧した後、「大統領となった全斗煥による権力奪取の軍事クーデター」と決めつけられて、逆転判決となり収監された経緯がある。しかし、崔先生は、盟友の池萬元元予備役陸軍大佐が、十二年間かけて同事件を調べて書いた『五・一八事件分析最終報告書』（未邦訳）の信憑性を高く評価し、北朝鮮の特殊部隊の工作説をとられた。

今、韓国と日本では、光州事件については「光州民主化運動」として、朴正熙大統領の軍事独裁に立ち上がった光州市民による軍事政権に対抗した「民主化運動」として捉える傾向が定着しているが、韓国の実情を調べれば調べるほど、北朝鮮の政治工作の凄まじさが浮かんでくるのが実際である。

しかし、文在寅政権は一九八〇年の光州事件の評価については昨年十二月に、「五・一八歴史歪曲処罰法」を成立させて、「北朝鮮特殊部隊の浸透関与」など、事件の真相を調査する言論活動などを封じる動きに出ている。同法案の成立によって、光州事件を「否定・中傷・歪曲・捏造、虚偽事実を流布した者に対して、五年以下の懲役か五千万ウォン（四百九十万円）以下の罰金」に科すことができるようになった。「民主化運動」の名が泣く親北・言論弾圧法案であり、文政権が社会主義陣営に傾斜している証しともいえそうである。

光州事件の後、崔先生はこの章で、日本の近代外交史を回顧しながら「日本が朝鮮にもたらしたもの」として、「日本アジア侵略説」に異を唱え、「日本が戦ったおかげで、そして日本人の尊い犠牲のおかげで、白人支配の世界秩序が覆され、今のようなアジア太平洋時代が到来し……欧米列強による植民地支配が終わりを告げ、平等な人類社会が到来したという歴史上の偉業を日本が成し遂げた」という考えを展開されている。東南アジアと太平洋に眠る日本軍将兵の心がどれだけ癒されるか、計り知れないものがある。東京裁判でただ一人「無罪」説を展開されたラダ・ビノード・パール博士の遺訓が思い起こされる。

先生の筆致は、再び朝鮮半島を巡る歴史認識に及び、「日韓併合強制説」「朝鮮侵略説」にも言及し、「日本の朝鮮統治は誠実であった」として、朝鮮総督府の資料を使いながら一つ一つその事実を挙げておられる。久保寺山之輔著『日韓離合之秘史』（昭和三十九年刊）の一読を勧めたい。しかし、国の独立を奪われたものの悲哀と怒りは、当事者にしかわからない。我々がそれを受け止めるしかない。

最後に先生は日本に対し「言われっぱなし」「やられっぱなし」の受け身外交はやめて「東洋に向けては、NATOのようなアジア自由共同体構想に、日本の指導力を発揮してほしい」と注文を付けておられる。

◆韓国民の覚醒を求める

第五章は「赤化韓国に未来はない」と明言されている。朝鮮戦争で第六十通信戦隊作戦課長として朝鮮戦争に従軍した経験を持つ崔先生は、誰よりも北朝鮮の非情な体制について熟知されている。加えて韓国空軍時代には、米空軍航路管制航空通信団に派遣され、米空軍航空通信学校将校課程を修了し、アメリカのデモクラシーを体験され、自由民主主義体制の良さを肌で実感されておられる。先生は、言論の自由を封じるなど親北傾向を強める文政権の施策には批判的である。

崔先生は、第二章で朝鮮戦争時における北朝鮮のやった行為について「北朝鮮軍の遮断を目的に予告もなく韓国軍の工兵隊によって（漢江の車道橋が）爆破され、数百万のソウル市民は退路を絶たれた。そして三カ月の間、北朝鮮占領軍による虐殺、拉北、強制収容等、筆舌に尽くしがたい阿鼻叫喚の惨劇を呈することになる」と書いておられる。徹底的な反共主義者となられたことは必然である。最近の韓国政府について憂慮されていることは、「アメリカに守られていながら、北朝鮮寄りのことをやっている。……これは私に言わせれば『国家反逆』である」と分析されているが、こうした分析は韓国の保守陣営の共通した見方である。

例えば、金大中大統領の政権時、朴智元大統領秘書室長が韓国の主要メディア四十六社の社長を引き連れて「反北反金正日不報道」などと協定を結んできたという。同政権と盧武鉉大統領の時には、共産主義者に対する「特別赦免」が行われ、北朝鮮のスパイが国会議員になった事例を挙げておられる。さらに大学教授の朴裕河氏が『帝国の慰安婦』を出版し、慰安婦の名誉を棄損した」として罰金百万円を科されたことなど、先生は「自由民主主義国家だったら絶対にあり得ない」と批判されている。

この他、歴史教科書の記述では、教師らが編集権を掌握している事実などを列挙して、「教育の赤化は本当に国を骨から蝕む」と訴えられている。

それだけではない。旭日旗への言いがかり、慰安婦問題、竹島問題、徴用工問題、レーザー照射など一連の反日活動の目的は「日本ではない。究極的な目的は、アメリカを怒らせて、韓国からアメリカ軍を撤退させ、その結果、赤化統一を成し遂げるのが目的である」と喝破されている。崔先生は「このアングルから分析していかないと、完全に戦略の方向が違ってくることになる」と指摘し、「問題は国際条約を無視して、ありもしない賠償を求める韓国の側にある」と批判されている。外務省は熟知してきたようだが、日本のマスコミも覚醒して欲しい重要な指摘である。北朝鮮は「半島の外に気をそらし、その間に韓国の内部崩壊を促し、機をみて特殊戦で侵攻するというような戦略を彼らは練っているのである」という先生の指摘はまさに正鵠を射ておられる。

こう韓国の現状を分析した上で、崔先生は、文政権の秋美愛法務相に象徴される一連の行為、すなわち、文政権派の閣僚や市長らが行った不法行為を捜査している検察庁に対する、青瓦台の大幅な左遷人事などの不正に対し、国民の怒りと不信感が高まっているとして、こういう時こそ、北朝鮮による「赤化統一工作」の危険性を認識するよう求めている。北朝鮮は「三日でソウルを占領」という計画を持っている―とも指摘されているが、北からの戦車の進入路の障害物は文政権の政策で取り除かれているのが現状である。しかし、韓国は「もうなすすべのない状態である」として、崔先生は「文政権の一刻も早い打倒を」主張されて、韓国民の覚醒と奮起を求めている。

◆戦時中の感動実話を甦らせる

最後の第六章の「『空の女神』藤田多美子鎮魂によせて」は、崔先生の最晩年の無私の奉仕で実を結んだ実話である。崔先生は昭和十九年九月、陸軍少年飛行兵学校の一年間の教育訓練を終え、茨城県水戸市の陸軍水戸南飛行場の一角にある陸軍航空通信学校に入校した。当時、十六歳だった崔青年は、入校間もなく上官から「君たちの飛行安全を願って人柱になられた乙女がいるぞ」と聞かされて早速、胸像と辞世の歌二首が刻まれた歌碑を祀ったお堂に詣でて感動し、感謝の念を捧げると共に敬虔な祈りを捧げられたという。多感な頃の崔青年の心に刻まれた忘れがたい思い出である。

その胸像の女性こそ、水戸市内に住んでいた藤田家の次女、二十二歳の多美子さんだった。

多美子さんは大東亜戦争前の昭和十五年十一月二十八日、若き戦闘機パイロットの訓練事故死多発の根絶を願い、同飛行場の北側正門近くの井戸に学校と家族あての二通の遺書を残して入水自決したのである。

当時、わが身を捨てて公に尽くした乙女の自決は、多くの人々に衝撃と感動を与え、遺族と有志らの手により翌年十一月、多美子さんの胸像と歌碑が基地内に設置され、多くの人々の顕彰するところとなった。

事件の詳細は藤田家の三女で増田芳江さんが、八十三歳の時に書いた私家版『山桜の花影に姉・多美子の追憶』（平成十六年、茨城新聞社刊）に詳しく記されている。今回、崔先生は、遺書の全文と辞世の歌二首を改めて本書に掲載されており、多美子さんの行為に打たれた崔先生の思いの深さが偲ばれる。

この多美子さんの美しくも尊い行為は、日本の敗戦で水戸南飛行場と廟の解体によって忘れられていった。しかし、この稀有なエピソードを現代に蘇らせた青年がいた。昭和史研究家、名越二荒之助氏の愛弟子で、大東亜戦史の検証を進めてきた歴史作家の拳骨拓史氏である。

崔先生ご自身も本書でお書きのように、拳骨氏は戦後六十年以上たった平成二十年夏、国立国会図書館で自衛隊『朝雲新聞』の記事を検索中、「亡き娘に父の悲願　飛行場も見える処に〝乙女の祈り〟再び明るみに」（昭和三十六年七月十三日付）との記事を目に留めた。多美子さんの父、房吉さんが多美子さんの胸像と歌碑を「旧陸軍水戸南飛行場の見える場所に置いてやりたい」との切なる希望を持っていることを知って、遺族探しを始めたのだが、まったく手がかりが掴めなかった。

しかし、大東亜戦争開戦七十周年に当たる平成二十三年二月、東郷神社の会館で、崔先生の「私が戦った二つの大戦」と題する講演を偶然聞き、先生が陸軍航空通信学校OBと知り、遺族探しに協力を求めて快諾を得た。これをきっかけに多美子さんの遺族探しは前進した。

やがて桜川市真壁町に住む多美子さんの妹、増田芳江さんと甥の増田豊市議と連絡がとれたのである。その結果、水戸市内の藤田家に胸像と歌碑が、今は亡き房吉さんの手で大切に保存安置されてきたことを確認できたのである。

その後、二人は増田市議らの支援の下、日本郷友連盟会長の寺島泰三元自衛隊統合幕僚長並びに陸上自衛隊霞ヶ浦駐屯地の桜木正明駐屯地司令と地元の茨城郷友連盟の協力を得て、平成二十四年十一月、茨城県土浦市の陸上自衛隊霞ケ浦駐屯地の広報館に多美子さんの胸像と歌碑を公的場所に納めることができたのである。

崔先生は、再会した多美子さんの胸像と歌碑を前に「今の世の中を改善するには、藤田女史の純粋で美しい心が必要なのです。日本人は誇りを失わないで下さい」と増田市議らに言われたという。崔先生は本書でも「だから私は、日本は必ず再起すると信じて疑わない。これを恐れ、牽制する相手も少なからずある。それでも、日本人は誇りを失ってはならない。誇りは力の源泉である。靖国神社に祀られている二百四十六万の英霊（このうち朝鮮人戦没者二万人）を国家が顕彰するのも誇りの証であり、藤田多美子の愛国を顕彰するのも国としての誇りである」と述べて、本章を結んでおられる。

◆「反日」「反韓」感情を煽るのではなく「美しい心」を持って接しよう

最後の「おわりに」では、日韓両国の最近の離反の動きを憂慮し、その原因を「朝鮮半島の特殊な環境と地政学的要因」に求めながらも、「過去の歴史はどうあれ、未来は今を生きる人間たちの選択によってのみ切り開かれる」と主張され、「韓国併合百年の歴史的エネルギーが昇華し、日韓の和解、そして揺るぎない日米韓三国同盟実現への歴史的指導力として発現」するのを期待して筆を置かれている。

朝鮮半島をめぐる日韓両国の交流には、千年以上の歴史がある。互いに干戈を交えた時もあったが、文化交流の歴史も長い。かつ、両国に多くの人の交流もあった。互いに憎しみの感情から反韓、反日感情を煽るのではなく、理解する心を持って相手の言い分を聞くことが大切だ。両国民にとって今最も必要なのは利己心を捨てて、耳を傾けた多美子さんのような「美しい心」を持って接することではないだろうか。

刊行に寄せて

崔 鶴山（慶應義塾大学非常勤講師）

最後まで少年の心、軍人の気概、未来への希望を忘れず、父は、感謝の気持ちを胸に旅立ちました。

心の拠り所であった父を失った私は、生きる世界を失くし、帰るところを失いました。

父の言葉が蘇った本書が一周忌を迎えるこの日に刊行されることにこの上ない喜びを感じております。

父が日本に来てからご厚誼を賜った方々は生前の父を心から応援してくださったばかりか、父が亡くなってからも、私ども遺族に温かいお言葉やお気遣い、励ましの御言葉をかけて下さいました。私どもには、このようなご厚情が父が忘れ去られていない証のように感じられ、感謝の念に堪えません。名も偉業もなく、地位も富もない、しかも来世へと旅立った一人の韓国人をこれほどまで哀悼し、大事にしてくださる日本の方々の律儀で、義理固く、純真なお姿に強い感銘を受けるとともに、敬服の念を禁じ得ません。父の遺稿等を整理しながら十四年間にわたる父の日本における活動を振り返り、改めてその偉大さに気づかされ、誇りに思うと同時に、父の活動に十分な配慮を払ってあげられなかったことが心残りでもあります。

本書が世に出るまでには紆余曲折がありました。二年ほど前にハート出版から父の自叙伝の刊行の話があり、父は半年ほどかけて原稿を書き進める予定でしたが、ちょうどその頃から体調を崩しがちになり、未完のままページを閉じることになりました。遺族一同、父の自叙伝が日の目を見ることはないものと諦めていたところ、今春、ハート出版から父の自叙伝を完成させましょうという、嬉しいお声がけを頂きました。未完の部分が惜しまれながらも、早速、原稿の再構成が進められ、幸いにも、父の一周忌の日に刊行する運びとなりました。父の喜ぶ顔が目に浮かぶだけに、この日を父と一緒に迎えられなかったことに一抹の寂しさも感じております。

父は本書で、一人の歴史の証人として、その時代時代で感じた失望や未来への希望について語っています。

日本の統治時代の朝鮮で生まれ育った父は、かつて日本の教育を受けたことを誇りに思い、日本の優れた点は素直に認め、それを受け容れることによって韓国がより良い国になることを願っておりました。父にとって、日本は唯一無二の国の発展モデルだったように思います。本書で父は日本を高く評価する発言を随所で行っていますが、これは日本に来てから言い始めたことではなく、私が物心ついた頃からずっと同様の発言を行っておりました。

　私が大学を卒業し、留学先を日本に決めたのは父の影響が大きいと思います。父は人と会うと、まず、韓国の政治、社会問題について熱く語り始めるのが常でしたが、その際、必ず比較対象にするのが日本でした。一九八〇年代初め、ＧＤＰが六百五十億ドルの韓国と一兆一億ドルの日本を比較対象する父に対して、私は比較する相手方を間違えているのではないかと内心疑問を抱いておりましたが、それは韓国の経済的・社会的成長を願う父の切なる思いの表れであったと思います。その比較対象が日本以外の国であれば、父はもっと心置きなく発言し、穏やかに過ごせたと思います。何の得もない、いや、むしろ「親日派」として敬遠されるリスクを負いながらも、自分の信念を曲げることなく忠言、直言を呈し続ける父の姿に、ずっと反日教育を受けた私は疑念を感じつつも、その誠実な人柄を知っているだけに、父は誰よりも国を愛し、憂いていることはわかっていました。

　父にとって日本統治時代は歴史ではなく、一個人の記憶です。その時代を生きた人間でなければわからないことや、同じ時代を生きた人間であっても個々人の環境や感性、価値観によって異なる認識があり得るのは当然です。父は時代時代の歴史解釈に染まらず、自らが見聞きし、体験したことに基づいて国のために発言し続けて参りましたが、韓国ではそれには覚悟と勇気が要ります。韓国でそのような人が一律に「親日」として批判されている現状は、個々人の記憶を集団記憶として再構成し、それを強要することであり、偏った歴史観を助長する危険性をはらんでおります。

韓国では、今年五月に与党（共に民主党）の議員十二名が歴史歪曲行為および日本帝国主義を称賛する行為を防止することを骨子とする「歴史歪曲防止法」制定案を共同発議しました。この法が国会を通過すれば重い懲役や罰金が科せられることになります。歴史歪曲禁止法の第六条（日本の歴史否定に内応する行為）では、「日帝の国権侵奪と植民地統治を称賛、正当化、美化または支持したり、日帝強占期の戦争犯罪を否定、または著しく軽視することを目的とする活動を行う日本国内の団体の中で大統領令に定める団体と内応し、その団体の活動を称賛・鼓舞、宣伝したり同調した人は三年以下の懲役または三千万ウォン以下の罰金に処する」とあります。

これでは誰も何も言えなくなります。体験に基づいた反日もあれば、体験に基づいた親日もあって良いにもかかわらず、いままさに自由民主主義を反する時代錯誤的な箝口令が敷かれようとしているのです。その規定概念の曖昧さと相まって愛国者が売国奴になり得る極めて危険な価値顛倒の現状は、父が心配していたまさかの事態が起きつつあることを示唆しているように思えてなりません。

韓国で暮らしていた頃、父が集まりで日本を話題にするたびに、そばで聞いている私ども家族は口論にならないか、ひどいことを言われないかといつもハラハラしていました。その父の口癖は「私のような愛国者は他にいない」です。

父が生きてきた時代を知らない人には、親日と愛国は相いれないものであるという認識がありますが、歴史をふりかえってみると、親日と言われる人の中にも愛国者がいます。この点をぜひご理解いただきたいと思います。しかし、その振り返りにも様々な障害があり、自国の歴史を直視すること自体が難しい現状であることを本書は物語っています。

私が小学校、中学校、高校で習った、大韓民国が誇るべき近現代の多くの文人、政治家、芸術家、教育者や財界人とされる人々の名が、二〇〇九年に当時の政府が発表した「親日反民族行為者」名簿に書き連ねられています。尊敬の念を抱き、手本にしたいと考えていた偉人が一夜にして敵に転落させられ、彼らが韓国の発展に貢献したことは一切顧みられていません。これは、父が本書で述べているように、大韓民国の正統性を根本から否定する行為でしかありません。

父の足跡を辿りつつ「親日」について書き連ねて参りましたが、遺稿を整理しながら感じたことは、父本人は、親日とか反日といった枠にとらわれることなく、人間としてのモラルを大切にしていたのではないかということです。換言すると、互いに良いことは良いと認め、非は非として認めあいながら切磋琢磨していくべきだというのが父の真意であり、その信念に基づいて自らの考えを発信し続けていたのです。学者でも政治家でもない、名もない一国民の身でありながら、人生の最後まで忠言を続けてきたことは父の正義の発露であり、誇りであったように思います。韓国に対する批判は韓国の政治体制や為政者に向けられたものであり、同胞に向けられたものではありません。その批判が辛口であればあるほど、時代を逆戻りしている祖国への憂い、歯がゆさが滲み出ています。

ちなみに、父が考えていた本書のサブタイトルは「日本人は誇りを失うな！韓国人は誇りを取り戻せ！」でした。このタイトルには、韓国人の可能性を信じ、その誇りを取り戻してほしいという願いと日本に対する激励の気持ちが込められているように思います。

父は十五歳まで暮らした生まれ故郷の咸興、夢にまで見る故郷の山河を懐かしみ、たった一度だけもう一度行ってみたいと言ったことがありますが、南北分断に阻まれてとうとうその夢を叶えることができませんでした。もし生まれ変わることができるならば、分断のない、そして日韓のしがらみが無くなった時代に、私はまた父の娘として生まれたいと切に願っております。本書が、日韓の新たな時代への小さな提言になることを願ってやみません。

最後に、微力ながらも父が日本で自らの役目と使命を全うすることができたのは、ひとえに父の思想や活動のよき理解者として寄稿や講演会等、発言の機会を与えて下さった方々のご高配の賜物と感謝致しております。皆様を代表して、本書の解説、父への大切な思いをお書きくださった佐伯浩明様、村田春樹様、序文の御執筆を御快諾くださった恩師の伊藤陽一先生、並びに父の講演やインタビュー記録をご提供くださった方々にこの場をお借りして心よりお礼申し上げます。

また、父の遺志を受け継ぎ、広めるべく、様々な障害がありながらも本書の刊行についてご英断を下されたハート出版の日高裕明社長、使命感に燃え遺稿の取りまとめに情熱を注いでくださった編集部の西山世司彦様に、心より敬意を表するとともに、本書が父の一周忌に出版されるようご配慮いただきましたことに対して厚く御礼申し上げます。

二〇二一年九月　遺族を代表して　崔鶴山（次女）

◆著者◆

崔 三然（さい・さんぜん）

1928（昭和 3）年、朝鮮咸興市に生まれる。
1943（昭和 18）年、日本陸軍少年飛行兵として大東亜戦争に従軍。
終戦後、帰国。1949 年より韓国空軍創設に参画。
1950 年、韓国空軍将校として朝鮮戦争に従軍。
1955 年、アメリカのスコット米空軍基地に派遣され航空通信学校将校過程修了。
韓国空軍本部通信参謀部通信課長、作戦参謀部編成課長を歴任。
1962 年、空軍本部秘書室長を経て大佐任官。
1966 年、空軍士官学校教授部長。
1967 － 68 年、空軍大学副総長。
1971 年、退役。
社会に出ては、韓国初の石油関係の品質管理機関の初代所長として 20 年間、韓国の工業基礎作りに貢献。
定年後は韓国中央大学社会開発大学院同窓会会長、同大学同窓会理事、空軍予備役将校会副会長等の活発な社会活動を行い、2000 年以降は左傾化し始めた韓国の赤化勢力に対抗する為、陸海空海兵隊大佐連合会顧問として救国活動に挺身。
2007 年以降日本に定着すると、日米韓 3 国の連携の重要性を痛感、人的交流、執筆、講演に専念。
2012 年より空の女神藤田多美子女子顕彰会発起人。
2020 年 9 月、逝去。享年 92。

花郎武功勲章、国防部長官功労表彰（1966)、空軍参謀総長功労賞（1971)、韓国工業振興庁長功労賞（1981)、韓国油類試験検査所功労賞（1981)、韓国潤滑油工業協会功労賞（1988)、国家有功者（1997)、韓国潤滑学会特別功労賞（2004)、空軍士官学校名誉教授（2009)。

装幀：イットデザイン

元韓国空軍大佐が語る **日本は奇跡の国　反日は恥**

令和 3 年 9 月 25 日　第 1 刷発行
令和 3 年 12 月 16 日　第 4 刷発行

著　者　崔 三然
発行者　日高 裕明
発　行　株式会社ハート出版

〒 171-0014 東京都豊島区池袋 3-9-23
TEL.03(3590)6077　FAX.03(3590)6078
ハート出版ホームページ　http://www.810.co.jp

定価はカバーに表示してあります。

ISBN978-4-8024-0077-0　C0021

印刷･製本／中央精版印刷株式会社